中国桃 著

狐香

文化艺术出版社
Culture and Art Publishing House

图书在版编目(CIP)数据

狐香/中国桃著. –北京:文化艺术出版社,2007.8

ISBN 978–7–5039–3368–4

Ⅰ.狐… Ⅱ.中… Ⅲ.长篇小说–中国–当代 Ⅳ.
I247.5

中国版本图书馆 CIP 数据核字(2007)第 116801 号

狐 香

著　　者　中国桃

责任编辑　成昜

责任校对　李惠琴

封面设计　大象设计工作室

版式设计　文　韬

出版发行　文化艺术出版社

地　　址　北京市朝阳区惠新北里甲 1 号　　100029

网　　址　www.whyscbs.com

电子邮箱　whysbooks@263.net

电　　话　(010)64813345　64813346(总编室)

　　　　　(010)64813384　64813385(发行部)

经　　销　新华书店

印　　刷　国英印务有限公司

版　　次　2007 年 9 月第 1 版

　　　　　2007 年 9 月第 1 次印刷

开　　本　700×1000 毫米　1/16

印　　张　13.75

字　　数　180 千字

书　　号　ISBN 978–7–5039–3368–4/I·1570

定　　价　23.00 元

▶▶▶ 序

葛红兵

中国桃的创作从小学五年级已经开始，那时她迷上了郭富城，写了篇激情短文《纯情，永远为你》，没想到会发表，也没想到校方异常震怒，要求她当着全校师生的面大声检讨。

16岁那年，她用一个暑假，写出并出版了生平第一本书《象牙塔童话》，成为了少女作家。后被改编为广播剧，还获了奖。

中国桃外表娇小，内里却蕴藏着巨大活力。在80后作家群中，她的经历无疑是非常奇特的一个，她天生野丫头性格，喜欢冒险，是中国第一个野外生存教练。曾经带领商务楼里的白领们，在东南亚的河里与鳄鱼对峙；在马来西亚的原始森林里逃过了食人野蜂；在卡龙沟的山洞里遭遇吸血蝙蝠。她做过国际导游，在世界各地穿梭往来，酒吧、赌场、餐厅、遗址，到处都有她的身影。见识过爱尔兰绅士、瑞士品香师、意大利雕塑家和危地马拉的孩子。现在，她是德国木材公司在上海的首席代表。这些经历成了《狐香》演绎故事的舞台。

年轻女孩中国桃自然是要恋爱的，不过她的恋爱都不超过三个月，三个月的新鲜感过了，她就会对男人失去了兴趣，想到一个女人要和男人生活一辈子，她就会绝望。她说："我喜欢老外男人主要是因为他们大多来自中产阶级，物质优越，不需要为了生活做有谓无谓的挣扎。所以相对中国男人来说，即便人到中年，他们还依然单纯。中国男人往往把和女人交往当作挣扎的一部分。再说，老外们崇尚裸体和自然的观念和我一样……其实好处很多，因为一切都是由物质为载体的，所以这些好处很直接就能让人感受到。"可见，中国桃喜欢外国男人并不全部是因为物质，也因了在思想上的共鸣，但她不像60、70年代的人把思想放的很高，而是直白地表达了日常的"愿景"，这是小说《狐香》的出发点。

中国桃特别自我,有生意要打理,有书要写,会多国语言,擅琴棋书画,攀岩速降野外生存射击,交谊舞声乐乐器,国际象棋网球高尔夫,研究各种酒色食色皇族家谱,随便什么领域,都要横插一腿。在所有的工作和爱好中,中国桃最喜欢的是文字,她惟一不变的身份是作家。她用《野人花园》终结了野外生存教练这一身份,用《情人部落》终结了国际导游身份。不知道什么时候,她会用《狐香》来终结木头生意买办这一身份。

《狐香》写的是一个出生于上海下只角闸北区的苏北小女子,周旋于欧洲世家子弟之间的故事。为了跻身国际上流社会,她会用仅有的积蓄做整容,也会办21张信用卡,透支一张去还另一张卡的钱,只为了买高档衣饰,适应生意和交际场所。

在美金持续贬值,美国总统大选使国际政局变幻莫测,众多西方木材公司纷纷倒闭,2008年奥运会的建设采购项目成了众人眼中翻盘的最大商机的大背景下,聪明的上海小女子与西方商人之间展开了种种智力游戏。东方女子在洋人圈的微妙周旋,商界的斗智斗法,美色与利益之间的快速转换,从越南到马来西亚,从上海到德国,在大开大阖、华丽奢靡的世界各地的异域风情中一一展现,闪烁期间的是名牌首饰、香水、银包、手袋、鞋子——物质的盛宴图景,充分展示了我们这个镀金时代的种种物象。在遇见那个德国男人之前,上海小女子有过很多经历,科威特美军基地做医生的阿拉伯男人,在纽约财富论坛的高级观察员,意大利某三流演员,来自南非的白种男人,津巴布韦的富家黑帅哥,在复旦读新闻硕士的日本男生木村淳。她已经分不清楚喜欢的是异国情人,还是异国情人背后的异国情调,一个满溢着狐香的物质世界。女主人公说:"我用一个男人的钱,前提是我们彼此吸引被依恋,依恋到他把一切放在我的手心上,我不喜欢的男人是求我我也不用他们半个子儿的。从某种程度上来说,我用一个男人的钱,是对他最大的恭维。"

无疑这是一部自恋的小说,作者对此并未作出反省,但是,某种意义上的当下"愿景"展示,却是真切的,在这个镀金时代每个人都需要某种特殊的质地,来承受或者迎合,小说的主人公的德文名叫克拉拉,在德文中的意为坚韧而强壮的女性,这或许是某种暗示吧。

>>>> 目 录

>>>> 菜泡饭的情欲

公元 2004 年 3 月。

在得知亚历桑德·冯·土恩温特塔克西斯侯爵死讯的那个黄昏，我慢慢把头发拧成一股麻花，辫子垂在我金黄色的裸露肩头，像是从伊甸园里爬出的一条黑蛇。

我用丝绸掩上胸前的荷花，然后朝耳垂上挂了两颗祖母绿宝石古董耳坠。

瘫坐在老马桶上。

凑近窗边充当花瓶的搪瓷痰盂罐，信手抚摩着搪瓷脱落的地方。

古董发条老座钟终于敲过了半个钟。

祖母把它们从苏北盐城的渔船带到上海北区的小弄堂，我把它从北面带到西面，从棚户区的小弄堂带到了西区法租界里的私人公馆。

沿着这三样宝物所提供的记忆线索，我的舌尖在脑震荡后的呆滞里，在我流光溢彩的华衣之下，面对我死乞白赖得来的上海西区意象，忽然间，从深处猛烈地涌起一股久违的菜泡饭味道。

菜泡饭。和谁死了谁活着无关的菜泡饭。

这味道，一定是潜伏在我的胃里从未离去的，一直在伺机爆发复仇的。任凭我喝下再多莱茵高地的腐贵酒(TROCKEN BEERENAUSLESE)，吃下再多波罗的海的鳕鱼和干草蒜泥小羊腿，用法式鱼蟹羹里的鲁耶酱粉刷过多少次我的胃，都淡化不了的。

这种味觉的记忆，连同上海北区的那种猪杂碎和臭鱼烂虾内脏的味道一起，连同所有过去的十个月，让我有种需要时不时吸一下嗅盐瓶来克服的晕眩快感。

菜泡饭，苏北戏班子家族最爱烧的菜泡饭。

我不得不承认我的胃，我的舌头，我的味蕾，我的喉管，我的细胞质细胞壁细胞核都是被这种味道调教出来的。

说什么鱼子酱鲍鱼刺身燕窝蛇肉牡蛎好吃都是昧着良心说的，喜欢喝上等好酒而不是果汁热可可也是假的。所有被世人追捧为最好吃最好喝的，其实都有最难吃最难喝的嫌疑。

对菜泡饭的病态迷恋才是我的味觉真相。

总是饭馊了，祖母把它煮成一锅稀饭，放进炖了很多天被一家子的筷子搅了很多天的肉被吃光了后剩下的肉汤，烂了的菜叶，和碎了的嫩豆腐，有时加一块在屋顶上晒了好几个星期开始生虫子的面条干，咕嘟嘟地炖啊炖，炖到锅扑出来，白花花的沫子流进煤炭炉子里，把煤饼子浇熄，只剩些毒蛇探舌时的那种嘶嘶作响的声音。

整个苏北窝棚里，这时便有种介乎于食欲与情欲之间黑乎乎的味道。

祖母来舀一碗，撒一把小葱花在上面。祖父来舀一碗，红酱油和冷猪油倒进去染上了所有的烂菜叶子。

我则喜欢最后剩下的，贴着锅底的一层褐色糍粑，用锅铲子刮下来，硬硬的，香香的，成分可疑的那一口。要趁烫的时候放进嘴里，把舌尖戳到一团糍粑的正中央，灼热中有种微妙的体验，潜在的对腐烂与死亡的好奇都在那里。

等我搬到城市的西边，曾试过很多在西区小饭店的菜泡饭。但料子都新鲜，又放咸蛋黄和虾米，菜叶是翠绿新鲜的，可能别人都觉得这就是菜泡饭中的上品，但我只能对自己味觉的癖好守口如瓶。

这个黄昏，一切混沌到开天辟地之前。

眼、耳、鼻、口、喉,都在亚历桑德·冯·土恩温特塔克西斯侯爵的死讯里,爆发出了我基因中最原始的癖好。

我的侯爵就这么死了。

瑞士雪山的滑雪事故。

我终还是选择脱下我的金缕衣,找到粗衣仔裤,急不可耐地要回到闸北区的龌龊地带去吃一碗苏北人的菜泡饭,如果这一刻世上还有什么能安慰我,仿佛只有城市的北面,那个我曾经处心积虑要离开的地方,要忘却的苏北盐城戏班子家族。

一想到那里憔悴的眼睛,被煤饼炉子熏黑的毛棚子,危机四伏的杂乱阴影,我的血液就从绝望的呆滞里苏醒,犹如被注射了某种看恐怖片的兴奋剂。

我不想开车,而是带着无法解释的癫狂潜进了充斥着汗臭与近似于一种博物馆般复杂味道的地铁站。

下班时间的站台景象如此生动,我站在腥臭的混浊空气里,皮肤因为缺少氧气而泛出肺结核病人的粉红色,广播里生硬的女声不断重复着地铁将要进站的消息,人们急躁蹿动如等待演出开幕。

风沿着隧道袭来,轨道上金属撞击的声音由远及近。

来了,来了,真的来了。

人们朝前蜂拥而上,中年保安拿着大喇叭叫着,先下后上,有序乘车。

人们才不管秩序是什么,人们像是饥饿的野兽,在车门打开之前,车里的人和车外的人像两军对峙,眼睛里是残忍的屠杀欲望。

车门开了,一场战争就此爆发。

我沉浸在无数身体野蛮的冲撞与撕抓中,我搅拌在上车的人流里,重新有了种小市民的生活乐趣。

劣质香水的味道和民工身上汗臭的味道,甚至有人用柳条包带了几只鹅上来,我把这一切的一切吸进肺里,打开胸腔,然后沉醉地闭上眼睛。

唔……

比鸦片更香，比性更销魂。

挤压在轰隆隆的地铁车厢里，和周围的人形成无法躲避的群体，向前向后，左摇右晃，无法自持的力量传递。

比独自坐在私家车里，对着司机无动于衷的表情好玩得多。

我渐渐有点怀疑，上流社会和草根阶层到底哪一种才是我真正喜欢的。

爱与性或许是同样的命题，我们以为自己追索爱，却在性上由衷感觉到一种跨越底线的犯罪满足。我们其实从不知道自己到底要什么。

鬼佬们。那些白得透明的脸，碧如春树的眼睛，狐香飘飘的味道。

中国男人。亚色微黄的脸，黑亮的眼睛，隐忍的神情，仙风道骨的身板。

现在我有了钱，吃过用过穿过玩过种种之后，已经没有大不同。

西方人不再全权代表优越的生活与自由平等，东方人的身后也未必就是天安门广场和长城。

东方和西方，上流与下流，贵族与草根，其实你只要有耐心把我的故事看完，然后你就会发现，一切不过是个大玩笑。

塔克西斯侯爵一死，扬·法朗索瓦一失踪，存在我账户上的巨额资产都是我自己的了。

奥运会的整个场馆建设的定单已经被我的福祥木业拿下。

我所处心积虑要离开的苏北弄堂拆迁了，消失了，被从西区飞驰而来的地铁贯穿而过。

我被挤在地铁的中央，随波逐流，又一次回到城市的北面。

有个肥硕的农妇还有一半屁股没挤进来，地铁车门卡在她身上，电子灯发出报警的橘色灯光和滴滴的声音。

两个保安飞奔而来，一个推她的背，另一个推她的腰，农妇一点点像表演软体杂技一样被塞进了车厢，当车门在她身后闭合，她布满皱纹的脸露出了高潮后满足的笑容。

地铁到火车站是终点，车厢里苏北话的声音永远嘹亮粗鲁尾音拖得长而滑稽。但这一年，地铁一号线终于还是向北延伸了，一直穿过新客站的铁路，通向了彭浦新村。

最繁华的老法租界和最受人鄙视的工厂区与苏北裔终于被一条铁轨贯穿。

从西面疾速而来，夹带着洋人身上奇特的体味与胡子水味，之后向北，再向北，一直到北得不能再北。

这个城市，上海，北面与西面是她永恒的命题。

我再一次回到城市的北面。

在一片断壁残垣之前，赫然有印度人和俄罗斯人坐在弄堂口的排档上吃麻辣烫喝啤酒，外国人也顺着地铁一号线的轨道向北面迁徙，散落得到处都是，不再只属于襄阳市场，新天地和几条酒吧街。

三米之外，那个民工的小便池依然还在，蓬头垢面的乡下男人解了手正在系裤子，终年臊臭的气味混着孜然和胡椒的粉面儿，一阵一阵地涌上来，意味深长地覆盖上印度人和俄罗斯人的脸。

没有人觉得异样，青岛啤酒倒进污渍斑斑的杯子里，CHEERS，他们说。

CHEERS。

我端起一碗漂着猪油的菜泡饭，喝下一口久违的鸡毛菜汤。

再敬你一杯，以汤代酒。亚历桑德·冯·土恩温特塔克西斯侯爵。

就像曾经，在浴室里，我用古董酒樽斟上两杯酒，和你相视着一饮而尽，然后脱掉浴袍滑入水中，叠在你日耳曼民族天生骨骼粗大的裸体上，一起半漂半浮。

你总是一手从藤编的小筐里拿过那本烫金麂皮封面的《圣经》，另

一手捂在我的肚脐眼儿上，用拉丁文开始朗声诵读：

> 神为爱他的人所预备的，是眼睛未曾看见，耳朵未曾听见，人心也未曾想到的。

是。你看都应验了。这句子。

◢◢◢◢ 限量版陌路狂花

十个月前。2003 年。

在烈夏。

在越南海防。

涂山半岛上遇见亚历桑德的我。

终于离开上海闸北的龌龊棚户区十万八千里。

跟他回酒店的第二日，我在他汩汩流出的粘湿汗水中骤然醒来。

日尔曼男人固执地不开空调，房间里燥热潮湿。热带的风很轻，木格窗子敞着迎向海的方向，细微的吱嘎摇曳中，越南特有的花生焦糖搅拌着海腥味吹进来，乳黄色的丝光窗帘偶尔掀起，露出紫灰色的陌生天空。

太阳升上烟蓝的海平线，像某个女人拧开了一管口红，金白色的盖子啪地开了，朝海防城的街上老皇宫上呼啸而过的摩托车群上拓了一点，又一点点，最后抿抿嘴，全都拓匀了。

我眯着眼观察着他布满晒斑的粗糙皮肤，想起很早以前，早得我没有准备好遭遇任何外国男人的时候，我的德文老师就告诉过我，德国人的毛孔是比东方人粗大很多的，所以他们呆在空调间里容易生病。在家里在办公室里，窗与门从不可能同时敞开。他们看似强壮，其实并不如东方人构造精密，他们制造的机械和汽车也许够坚强，但他们的身体构造连穿堂风都没法抵挡。这也是为什么大热天在慕尼黑或法兰克福的啤酒园里那么多人挤在露天地里晒太阳喝温啤酒，要么就在沙滩上躺着，这对他们来说只是逃避空调与穿堂风的惟一办法。

昨日一进酒店房间，我自然而然地抓起空调遥控。

上海的天气和越南交关相像，湿热的夏天与潮冷的冬天，除了个把月的春秋，哪里离得了空调。

上海女人的精致妆容是依赖于空调间来保持不化作一团的，上海的暧昧小情调是依赖空调来愈显华丽的。上海的小户人家大户人家，棚户区也好，破公房里也好，黄金地段的名宅也罢，反正那种排风机转动的声音是固定在某种赫兹上的，嗡嗡作响的。时而滴下的液体，哩哩啦啦，砸在头上的时候，你才发现，原来我们生活在一座被空调精心控制的城市里。

日尔曼男人一把把遥控器抢过去，一副有人想谋杀他的表情。

克拉拉，你想杀了我吗？我已经是44岁的老人了，受不了空调这玩意儿。说着，遥控器被他一手甩到了沙发上，颠了一下，像有人忽然着了凉，在角落里打了个哆嗦。

我仔细看着身边这个拒绝空调并在睡眠中流水一样冒着汗的男人，终于相信我的德文老师当时并未耸人听闻，同样的热带温度，我的腋下和鼻尖稍稍有些汗珠，而他却整个湿淋淋的，像有个隐形的花洒在给他喷着水似的。

在汗水的浸泡里我们依然完好地保持着最亲密的姿势，我的手捏在他软塌塌的小东西上，他的手臂垫在我的脑袋底下，日尔曼男人的肌肉照例是硬硬的，骨头也粗大，硌得我的脖子隐隐作痛。

睡眠中的亚历桑德身体已经有苍老的迹象，眼角深深的刻痕，鬓角两撮像北方严冬的树挂一样霜白，啤酒肚挺着压着都不自在。

他的下巴上有块蛋形的小坑，昨夜他告诉我，那是他们家族的徽记，世世代代标识着血统的渊源。

这个带着蛋形徽记的欧洲末世侯爵确实有 44 岁了。

就算他还赖着穿少俊派的 BOSS 而不愿步入阿玛尼的队伍，也知道 2003 年的夏季流行粉红色 ，甚至也能跟我讨论一下奥兰多布鲁姆和强尼戴普哪个更帅，但，我只能说事实上他真的和我的生命不在相同的波段上。

我心思复杂地看着身边的德国男人，一边像每个早晨醒来一样，反复捏着我下巴上的半厘米人造硅胶，一边盘算着怎么在他醒来之前撤离这里。

我只当是一夜暗涌，没有更长远的奢望，对于西方男人。生命有多荒冷，从一个覆盖着金色汗毛的手心里辗转到另一个，起初还有草般鲜嫩的愿望，希望有一刻，某只手会在醒来时有所不舍，会挣扎着攥紧，会哀求。而那些散发着异域气息的身体，在奇形怪状的骨骼与头颅支撑下，闪动着怎样无法理解的概念与人文。

那些愿望无声无息地生了又灭了，到现在，我已经习惯在醒来之前就离开，不了了之或许就是整个西方社会里的男人最愿意看到的。这是他们挂在嘴边的"COOL"。

不给结局到来的机会，或许就是控制结局的最好方式。我以为。

我松开手，再轻轻挪动着腿。我感觉自己像在小时候玩一种游戏棒一样，小心翼翼地左移右绕。

就在我完全离开了他的身体，正要起身下床时，他的手机忽然疯狗一样嚎起来。

德国男人从沉睡里猛地打了个激灵，一声暗骂，手往我的小肚子上一拍，大叫不好。

原来意大利代理商贝尔贡已经到了酒店大堂。

我们手忙脚乱地从赤裸交结的姿势迅速分开，跳下床，开始满屋子找衣服裤子往身上套。

他边把牛仔裤吃力地拉上啤酒肚边说，克拉拉，你一定要穿内裤！不然我们的房卡没有地方放。

我愣了愣神。内裤？

他径自把房卡贴着我的屁股藏在了我的内裤里，说：

欧洲女人出门都这样的，现金是塞在乳沟里的，证件是放在内裤里的，手枪是吊在大腿外侧的，所以她们很少带皮包。二流品位是一个小坤包里只放一管口红，而一流品位是出门不带包。克拉拉，你以后也要这样。

以后？我睁大眼睛，又是几秒钟脑供血不足。

他从小酒柜上拎起我的越南丝小裙，从头套下来，挨着我的身体理好。

而我却在出门前的最后几秒钟再次问他：你确定要带我去见你的朋友和生意上的朋友吗？他们不会觉得奇怪吗？我被你从赌场里带回来，你我认识不到二十四小时。你确定？

他摇摇头，曲着嘴角叹了口气，一只粗糙大手霸道地拉过我的手就往门外走：克拉拉，就算我不能娶你，就算我已经老了，就算我靠吃特制维他命来让自己不至于秃顶，用抗皱霜让我的脸没千沟万壑，但请不要把我想得那么坏。我不是要你陪我一个晚上，而是要和你分享我的余生。好不好？

对了，你知道 CIF 报价怎么计算？你说你是 W 大学国际金融专业的，离大学毕业还有三个月。我记得你这么说过。

CIF？哈哈。成本＋保险＋运费。我是这方面的绝对高材生，你就没有高级点的问题可问么？比如怎样用一套完美国际贸易提单来空手套白狼？

太棒了，克拉拉。他听了我的回答，高兴地把我拽得更紧一分。顿了顿，点燃了烟斗。

来，来，跟我来克拉拉，去见见贝尔贡。好不好？

好不好？

好不好？

我根本来不及把好与不好在脑子里列个清楚的单子，电梯已经到了酒店底层的大堂。

越南的阳光暴烈，窗边的大理石地面斑驳晃眼，就像是这场命运的急转弯一样，我只能在强光里晕眩地眯起眼，任由 ALEX 带我走，没有终点没有方向，从赌场到酒店，从街上到床上，我知道我的生命从此就被这只手囚禁与牵引，划出无法想象的另一条轨迹。

周围的一切都如此恍惚，我有种不真实的幻觉。

玻璃门外是小国的街景，车夫在后的三轮车来来往往，戴斗笠挑扁担的细瘦妇女沿街叫卖，摩托车呼啸而过流下滚滚烟尘。而门内恍惚的越南话英文法文广东话重叠交错，各种肤色的人们在既狐骚又靡香的空气里站着坐着走着，构造出某种戏剧性的场景。

在陌生而稀奇的这个瞬间，我忽然听见有尖锐腻俗的女人声音叫着一个熟悉的名字：

李桃桃！天啊，李桃桃！！

有几秒钟，我愣在原地，似乎被这个名字震动了五脏六肺，却又生疏太久一时不知道为什么。我的视线渐渐回到我面前的三个人影上，德国男人亚历桑德，意大利男人贝尔贡。还有，竟然还有，我在大学里暗地里勾心斗角，实力经历都相当，却从未当面讲过一句话的同校女生。

季媛！

她用 MARC JACOBS 黑铜色绸缎系带外套裹 BCBG 孔雀花卉半裙，松松的开襟里露出花 BRA 的荷叶边。专业美容院里晒出的地中海暗金色肌肤，半长头发烫成细细乱乱的卷，染成蜡黄蜡黄的颜色，从背后看的话，绝对可以冒充意大利女人。

她的身上有种和老外混久了的腥甜的味道，理所当然。

脚蹬一对细高跟金色凉鞋，据说意大利男人都喜欢被女人又尖又细的鞋跟踩在赤裸的身体上，会痒酥酥疼得欲仙欲死，比什么马杀鸡都来得过瘾。

我们同在上海 W 大学，我们都离毕业只剩三个月。我们此生说的第一句话，原来是要等的。等到赤道以北 21 度的越南海防，等到我们成了洋人圈子里含混暧昧的中国女人。

这么巧啊？季媛说，嘴角已经开始有隐约细小的褶皱，像是被时光做出来的肌理效果。

是啊，太巧了！我笑，忍不住在惊吓里再一次推了推我的小号人造下巴，整个人有点地震后九死一生的呆滞。

怎么回事？怎么回事？
你们认识？

亚历桑德与贝尔贡，两个鬼佬在一旁面面相觑。

她迅速从突如其来的惊诧中恢复，上海女人精于场面又永远暗含杀机的表情重新占领了她的娇好五官——不论如何，我都要承认我的同校同级宿敌是可圈可点的大美女，暗含杀机的五官更有些神秘的韵致，非常动人。

她鹅蛋脸，杏核眼，樱桃唇，翘鼻子，瘦而高挑。

我大圆脸，大嘴巴，吊眼梢，淡雀斑，细眉细眼细鼻子，骨头小有点小肥肉的三等个子。

也许对中国男人来讲我的姿色是次于她的，但在狐香洋人圈子里，这就不好说了。知道吕燕是怎么在法国被追捧的人，就该知道我这种类型的姿色对另一个世界的人士是多么致命的绝杀招。

我在青浦淀山湖边刚买了新别墅，装修好了一定叫你来白相，我叫姆妈顿百合燕窝。阿拉小姊妹好好聊聊。

哎，你……现在住哪里？还住在闸北区上次我看见你出来的那个弄堂么?

她别有用心。一只手握着我的手还不够,说完这一句杀手锏,另一只手也包围上来,朝我的手背假惺惺地拍了一拍,脸上掩不住地得意。

哦?怎么会,早就搬了。我现在住在古北。我迅速编了个谎,在嘴角撑出一个好莱坞笑容。国际导游做了一年多,这点城府总还有的,岂能让人一上来就把我照个 X 光片。

和她的陈年旧账,不是她这么一挑,我也不会一扒拉拿出个小算盘,就此打得咯啦啦响。

曾经一路的清寒与贫瘠,让我变的极度好胜与倔强,在几近崩溃的跳跃生活里,我总是攥紧拳头,要把每一个敌人打倒在地。有仇必报,一个不留。

我和她的账,要算一天两天都算不完。

那些陈芝麻烂谷子的事,总有一天我要一件件和她算个清楚。

她可能还没意识到,从昨日开始,我忽然东风,攀龙附凤,不姓李名桃桃了,现在任凭你是哪路货色都要恭恭敬敬叫我一声,克拉拉小姐。

从昨日开始。

一、二、三、四;鱼、铜板、鸡。

昨日。

我坐在大小的赌盘旁,神情矍铄,五指纤纤掂着一摞各色筹码。

我赌的是人,比盯着红黑格子有意思得多。听骰子、切明牌,鱼或铜钱,那是别人的赌法,德国男人厉害还是法国女人有感觉,这才是我的赌局。

我跟着桌子对面的德国男人下注,他把筹码放到哪,我就跟着放到哪。大多数时候是莫名其妙的格子,是我再胡乱压注也断然不会想到的地方,但他就是选了,赢了,游刃从容。

小赌怡情,大赌养性,这赌台是看人性情最好的地方。

从赌台上看他，他运筹自如，动作神情比常人总是慢二分之一音节。咖啡色的浓眉，咖啡色头发，咖啡色的胡子茬，下巴上有小块蛋形凹陷。

嘴里一款 CASTELLO 收藏级烟斗，这一款，正是我在我的苏北小阁楼里为一朝踏入上流社会而时刻准备着时就仔细研究过的，是石楠根烟斗里的极品，鱼尾烟嘴，93MM 的夸张钵高，极力延长着最后一撮烟草的潮湿与苦涩来临前的中段享受，一斗烟要抽上四五个小时，如果我没记错的话，烟叶调配的是登喜路的 EARLY MORNING PIPE 口味。能抽这款烟斗的人，来历自是不凡的。而他放筹码时从烫金扣子的袖口露出摩凡陀为纽约现代艺术馆永久珍藏的 1959 款（MOVADO MUSEUM）古董手表，比之只知道戴劳力士金表的暴发户更有自己独道眼光。

他应该在 45 岁左右，嘴角有隐隐下弯的褶子，两鬓微微灰白，他的眼睛是带着天主教徒特有的慈悲。现在的西方社会，真正的天主教徒并不多，就算他们依然过复活节和圣诞节，但宗教其实已经在年轻人的心中成了笑话，真正的天主教徒总是在第一时间就识别得出。

至于凭什么我知道他是德国男人，因为在他发英文里的 BLE 字母组合时，会在"欧"前夹一个"厄"的音，而不是单纯地发"欧"的音，所以我的经验无数次证明，这样的口音是日尔曼民族特有的。

我是做国际导游的，小小年纪阅人无数。世界各地的游客从机场出来的三分钟之内，我就可以从他们的穿着和走路的速度知道他们口袋里有多少钱，银行帐户上有多少钱，做哪个行当的，家庭状况如何。

我和他这时隔着 3.6 米，赌台最远两端的距离。这距离是散装的数字，因为不整，总有点可进可退的可能，像越南随处可见的香烟摊，买整包的人都寥寥，大多数的男人女人都单支地买，多少不限。拿到手迫切地点上，大口大口地吸着走过老旧的街道。摩托车呼啸，气筒也在喷云吐雾。一个冒烟的国度。

自由不过如此。

如果水也可以一口一口地买，人可以分器官来爱，很多事情立马简单起来。然后记忆也会因为零散而容易稀释或彻底忘却。那个贫穷的可耻的闸北街区，那些充斥着异味的日子，都可以不再想起。那么爱过的男人们也就可以分解成眼睛鼻子耳朵揣在口袋里多好，如果除了附带的物质生活，真正单纯地爱过某个男人的话。

铃响，盘开，陆陆续续筹码又进账。

我不再和自己的记忆纠缠。伸手揽筹码入怀。有人说钱是这世界上最性感最纯洁最催人奋进的东西，我觉得这是此文笔三流的作家说的最像一流作家的话。

我跟着德国男人赢过五六轮，来自澳门的巡监打了个手势，发牌员立刻换了一个。

德国男人就此离去，捧了筹码，没有丝毫留恋。我不懂其中的机巧，不知道发牌员一换就要开始做手脚，所以仍旧坐着，物色下一个看上去会赢的人。新换的发牌员开始催促我下码，我左看右看依然没感觉，随手抓一撮码子就随便朝面前放过去。

就在这个动作的中央，在手起码落的弧线某点上，有人截住了我。是一双很粗糙的大手，霸道地从我的手心里抠出红红绿绿的小圆牌。

我没有侧头，可我隐隐猜到是谁。

有人越过赌台 3.6 米的距离来拯救我，不亦乐乎。

我听到他的声音，很多欧美的电影对白里喜欢用的那种，沙哑的，含痰的，伴随着一个烟斗或者一瓶 VODKA 的可能对于无可救药的小女孩总是有种类似于神父的规劝意识。

小姐，我们走吧。

一句话像从英国史特林冲锋枪 L34A1 里射出的一排子弹，从我灵魂深处穿堂而过，我的心一刹那屈服了。

我僵着身体赖在原地。

德国男人霸道地将我两只手一叠,往他胳肢窝里一夹,拖小羊一样把我拖出赌场。

ALEXANDER VON THURN UND TAXIS。

亚历桑德·冯·土恩温特塔克西斯。

德国男人就敢有这么长的一个名字。

像他的贵族祖先在雷根斯堡的宫殿那么需要被瞻仰,像在DOMO-TEX展会上人们注视他的目光一样光芒万丈,像我的生活里出现基因突变那样天翻地覆。

亚历桑德·冯·土恩温特塔克西斯侯爵。

Alex。我就敢把德国男人的贵族姓省了,把亚历桑德也缩成昵称Alex,和叫着上海写字楼里月入三千的白领小男生的英文名没有任何丝毫差别。

Alex! Alex! 他说要我陪伴他所有余生,而不是一个晚上。多好,一个殷实富裕的欧洲世袭贵族的余生。

我倒要看看,从越南海防开始,谁还能阻止我克拉拉狐假虎威的二十二岁。

▶▶▶▶ 小布什 VS 克里

吧嗒一声。电视开了。

CNN整点新闻的黑人女主播白齿红唇,一禽一合,身后背景里的几十面电视屏幕闪烁呼应，正告诉你这世界怎么以我们不明白的方式快速变化着：随着美国北卡罗莱纳州联邦参议员爱德华兹决定退出竞选，马萨诸塞州联邦参议员约翰·克里已经赢得了民主党总统候选人的提名。克里正积极物色竞选伙伴，打算拉开架势与布什争夺下届总统的宝座。

又吧嗒一声。电视哆嗦了一下。

财经新闻的中年秃顶男主播正要接通某大牌分析员的直线电话：近半年以来，美元兑主要货币一直呈现颓势。对此，经济学家的解释一般都从经济基本面出发，寻求对汇率波动的现实解释，其中核心问题是经常项目赤字和财政赤字。如果上述观点成立，那么我们可以预期，美元贬值将是长期持续的过程……

呸，民主党简直是疯了，全世界都疯了。随便哪个人拼小布什都比这个老家伙强，这些美国人全都是疯子。

布什政府只管战争，对造成的惊人财政赤字和结构性失业毫无办法，布什不下台，美金就好不了。而民主党却选出个克里来，真××弱智。

亚历桑德一翻身跳下床，光着身子在房间里野兽般地乱走着，他把刚要点燃的烟斗奋力一甩手朝远处扔出去，燃烧过的烟丝在墙面上一磕泼了出来，印了片灰褐色的小人头，正是克里的脸，一副受气包的模样，让我想起小时候被数学老师罚"立壁角"的时候。

亚历桑德垂头丧气地瘫坐在沙发里，房间里充斥着登喜路烟丝的味道。

他把脸埋进双手的掌心里，眼球上的红丝游动如乌云想覆盖天空，却又穿过手指的缝隙看见摊开在咖啡桌上的 DOMOTEX 展览会刊。

他的视线在上面像一只公苍蝇与一只母苍蝇的交配一样冗长地呆滞了一会儿，然后他的拳头一下子砸在了上面设计精美的木制家具上。

手中的电视遥控器也随即被摔到了地上，一声闷响，顷刻间螺丝与各种小按键全部尸横遍地。

而他又一次站起来，大步地在房间里来回走，手开始在空中狂乱地挥舞，像是溺水最初的蛾子。

这时的德国贵族不再是在赌场里沉稳下注的男人，也不是饭前用拉丁文念圣经的神父，他的歇斯底里如此疯狂，特别是他一贯的温文尔雅忽然在这一刻崩溃的样子，我在床上用被角遮住胸。

你看看，这些狗屎。这个教导我要斯文要高雅的欧洲贵族自己却开了粗口。

什么吃完饭要把刀叉交叠端端正正摆在盘子上，什么别用白兰地酒杯装香槟酒，什么打哈欠要拿手捂住嘴，他教育我这些的时候，一定想不起来他自己的嘴里也会蹦出这样的脏词儿。

转而他的手又指向不知是不是也被吓着了的哑巴似的电视机。

这纯粹是在抢劫我们欧洲商人的钱！

他们知道我们的外汇账户里存着多少美金，我们还真相信他们"强势美元"的政策，他们……明摆着就是要我们。如果小布什下台的话，情况还能好转，美金贬值的情况还有望停止，小布什和他父亲一个样子只管打仗把经济弄得一团糟。

可现在民主党却最后推出这老克里……算了吧……上帝保佑克里。

你再看看这个，克拉拉，你看看。他的手从桌子上拎起那份可怜的DOMOTEX会刊，像拎起一只落入汤姆猫口里的金丝雀。

他朝我走过来，指着上面推介的主要产品。

亚洲市场已经全成了橡木的天下，他们宁可花高价去买橡木也不愿意再用榉木，要知道榉木是树里最适合做家具和地板的了，而亚洲的工厂没用正确的方法去烘干和切割，反过来把所有的错归结到榉木本身。

现在的情况更可笑了，亚洲市场根本就不看实际的利用率和出材率，他们像买衣服一样买木材，一窝蜂地做橡木和印尼巴西树种。我的很多竞争对手都相继破产了，说不定下一个气数尽了的就是我。

疯吧。美金！
疯吧。美国总统！
疯吧。亚洲木材市场！
这世界遍地狗屎。

▶▶▶▶ 如果你是富婆，我就是单身汉

左边的？还是右边的？选哪个？

两个白制服的越南服务生各拖着一只硕大的黑皮箱跟在 162 公分的金发小个男人身后走进我的房间。

烟绿眼睛，法国人典型的尖鼻子，金色卷发如丝，颈中系着夹织金线的条纹橙蓝绸巾，指甲修得滚圆透亮，配合着衣服涂着白色指甲油。一个典型的 DANDY 男标本。这种男人，随便如何落魄，表面上永远溜光水滑，半小时不照镜子会坐立不安，拗造型是他的强项。

他扇起的一股微微香风爬满空气的每个角落，VERA WANG 特调男香飘来，混着法国男人用红酒鹅肝与羊角面包调制的特殊体味，一直让我醺醺然想对他就地正法。

我用手强撑着眼睛，从指缝里再看一眼这个矮个子法国男人翩翩而来，生怕眼珠从眼眶里掉出来在地上滚没了。

哦？怎么可能？怎么会是你？

我一受刺激又开始用手捏下巴上的半厘米人造脂肪,用力均匀,从左到右。

呀——哈!如果你是富婆,我就是单身汉!

小个子法国男人亮出了港版《黄飞鸿》的开场招式,双手前后伸展,后弓步,抑扬顿挫地又一次秀出他的经典开场白。第一遍时法文,再重复一遍说英文。

一如三个星期之前在上海的淮海路。

那天这个男人的优质小牛皮钱夹里插着 VR—BANK 金卡,却要命地付不出 300 块人民币现金。他的金卡报废了沦落成一张漂亮而落寞的硬塑料,和我钱包里花花绿绿的 21 张从国内你想得到的银行申请来的普通信用卡好生匹配。

是我那天及时拨"卡"相助,才解了他的燃眉之急。他以为遇见善良美貌的小富婆。

先 Merci!又中文千谢万谢的。

殊不知我那天正穷途末路,信用卡的账单已经积了厚厚一摞,眼看就要过了最后期限,只能候在美美百货里准备截下现金去还自己 17 张信用卡的账单。这里的品牌都巨贵无比,只要有人想买两件衬衫,要付的现金就足够还我两张信用卡的。

我只剩最后一张信用卡,三分之一的取现额度已经用完,只能 POS 机刷卡消费。惟一的出路就是我帮人刷卡买单,他把现金给我。

地理位置一换换到越南海防。他开始以一只茶壶的叉腰姿势侧对着我站定,又幻化成圆规,用一腿撑着地面,另一腿一点地,整个人夸张地转过 180 度,这才正面对着我。他仿佛早就知道有这样一天似的,竟然花架子一个都没少。

一双墨绿眼睛看过来,有种波斯猫般神经质而无辜的神情。口音很重的法式英文,尾音低回婉转,如果暗夜里出外打猎,被盯上的女人们自是在劫难逃。

西方白种男人很难有如此精巧的美男子。如此位扬·法朗索瓦先生，绝不会超过 28 岁。有点女性化的五官，考究到分毫不差的细节搭配。看他敢穿灰色贴身风衣，加丝绸手工绣花手套，腿上却是松松垮垮的宽腿牛仔裤……还有什么可说的呢，我都要吃他的扮靓天赋几分醋。

我尽量用我多年测试下来最美好的角度，右边脸侧过 30 度对着他，看一眼左边的箱子，再看一眼右边的箱子，脸皮比乌龟壳还厚地说：那我两个都要呢？

一切听您吩咐，克拉拉小姐！

扬·法朗索瓦头微偏，面微笑，手微抬，朝服务生从容地打了个榧子。动作像是排练过的，被舞美精心设计好的，一招一式晃过，有点夸张，但绝不讨厌。

服务生恭恭敬敬打开左边的箱子来。我屏息静气，以为是阿里巴巴的宝藏。可定睛一看，里面——里面哪里是我想象的好东西。这些东西啊，任凭你有多好的想象力也不会想到出现在这只名贵 Beberry 大皮箱里。

满满一箱子全是规矩的小木方，深浅花纹都不一样。我的眼睛仿佛忽遇强光，堕落成细细一小条，好生失望。

扬自然掩饰不住幸灾乐祸，优雅中有了点油腔滑调的成分。他帮我拉开套房里写字台的椅子，一边示意服务生把各种木块在桌面上逐一排开。

我以为是什么好东西，原来就这个！

我佯装生气，其实有这么个美男子陪着，干什么也都不会无聊到哪里去。

我亲爱的克拉拉小姐，塔克西斯侯爵吩咐了，说以后你要帮他料理亚洲区的生意。

我去调查过，你在两年前做过一次小型的整容手术。你的下巴上有半厘米的硅胶。

　　你的高中是在上海圣若兰女校读的，这个学校历史上出过的风云人物数不胜数，课程设置接近于以往的贵族女校。你英文专业八级，德语六级，还有马来西亚语导游资格证。现在是上海W大学四年级学生，专业国际贸易，还有三个月毕业，正好学以致用。我们还了解到，W大学毕业的学生在国际贸易系统里的成绩骄人，直属中央政府的外经贸部，单论专业领域的话，其他名牌大学都比不上。

　　我目瞪口呆。

　　什么？你竟然把我调查个底朝天！说！你还查到点什么。

　　他迟疑地转了转眼睛，就此打住。

　　你肯定有个什么报告之类的对不对，我猜就在你电脑的某个文档里，关于我的一切。不如拿来看看，让本小姐给你打个分。

　　扬顾左右，言其他。

　　我大叫不好，此番遇见邦德007。

　　是否是否，我的情人A、B、C、D、E、F也悉数被刨根问底，以及以及，我的苏北唱戏的祖父母和我的龌龊闸北弄堂也被拍了X光。

　　那我脚掌上的厚老茧呢？他们还知道些我的什么秘密？我的17张刷爆掉的信用卡？我的单身父亲和远走高飞的母亲？我16岁时出版的那本烂书？

　　他们是否也去查过，我和一个南非白人投机商马特有些瓜葛，这个人的京片子地道的吓人，每每涉足大型的政府采购项目。那扬·法朗索瓦起码该查清，我是真的没和这光头上过床。

　　我一甩头决定以攻为守，我自己的事情，我当然比你清楚！

　　说：

　　这些木头怎么玩法？

实话说，塔克西斯家族是欧洲榉木的最大供应商之一，但现在我们的形势非常艰难。榉木从年初的价格风暴开始，又遭遇美金贬值，我们客户的款项都是以美金结算的，也就是说冯·土恩温特塔克西斯家族的美金账户每天都在缩水。与此同时亚洲的装修主材料有美国橡木和黑胡桃木取代欧洲榉木的趋势。

但有一点我们必须自信。

扬低头在箱子里找到了一块小木块，拿起来，走到我跟前，接着说：

国际市场装修主材料的改变有很多因素，不是木材本身能改变的。但欧洲榉木本身稳定性好，坚硬防水，不易变形，花纹柔和，这些天然的特性，对于建筑业和特定的家具和地板厂都仍是必不可少的。

他把木块像宝贝一样在手里把玩着，无限爱恋地摸了又摸。再一次夸张地转了个身，背对着我，留个背影依然耍酷。

我们现在需要找到打开亚洲市场的更好途径，趁价格风暴中，我们很多老对手纷纷破产的有利因素，抓住他们原来的客户。回上海后我和你就开始准备注册中国公司的事情，我们了解到国内的很多客户喜欢合同上写很低的价钱，剩下的直接付现金，这样一来他们可以少交不少税。

克拉拉，亚历桑德信任你。你的语言能力和学的专业都正好是我们现在需要的，这就叫一拍即合。

等会儿我会把各种常见树种的纹理、气味、判断方法都告诉你，还有各种结疤、水线、色差、心材的状况也介绍详细。

噢——

我轻轻地哼了一声，对突如其来的圣旨有些不适。

我不知道凭什么 ALEX 觉得我能胜任这些，单是扬报出的那一系列我的数据资料么？还是我的大圆脸，吊眼梢，细眉细眼细鼻子？这事怎么想怎么不可想象。或许任何鸡犬升天的好事，总是有点诡异的。

我 22 岁，我临危受命，要来拯救塔克西斯家族的榉木事业。简直是在胡闹。

在陌生的热带海风里，我再次浸泡在越南街道上的三轮车夫的招呼声与柠檬香菜的味道之间，我醺醺然开始憧憬起我光辉美妙的未来。我才22岁，多好，我的同学们还在学校里忙着一天面试三个小单位，算着怎样乘公交车可以省一块钱，而我克拉拉就要成为国际商圈里的风云人物了。

扬·法朗索瓦趁我容光焕发之际又打了个榧子，另一个服务生旋即把右边的大皮箱三下五除二搞成四仰八叉状。

这次，里面装着满满的各式首饰、香水、银包、手袋、鞋子和高级蕾丝内衣。在最下面是平铺着的数套小礼裙。我在一直眼馋的FANNY LYLY新款长耳环就摆最显眼的地方，FURLA 和 FOLLI FOLLIE 的时装表颜色喜人，各色一款压在 DIOR 印花胸衣上装上。

我即刻心花怒放，咽了一下口水。

我最喜欢物质的安慰，迤逦到狰狞的繁华，一切都在之中得到平息。我的面色开始红润，双唇有了类似于亲吻后的微肿。

我是穷过的，被苏北戏班子的家族物质迫害过的。

我青春期时连胸罩他们都不给我买，苏北祖母用旧布头缝个宽背心就算待我好了，她说戴胸罩的都是荡妇，把胸脯绷得那么鼓，不是想勾引男人又是什么。她自己反正一辈子都没戴过胸罩，去学校找我时总是穿着的确良的褂子，把乳头的地方打两个补丁，她的衣服都在这个部位有两个正方形的布头补丁。

我虚报年龄在永和豆浆大王夜班洗碗，洗了整整一个月，洗得手上的皮像九制话梅一样纠起来，终于挣来320块钱，我直接去给自己买了两套内衣。

我15岁的时候，160块一套的内衣货色算上乘的，我对于物质的偏执那时已经初见端倪。苏北家族给我的都是绝对的低劣，这大概是我对精致欲望的开端。要么有，要么没有，绝不牵就，没有中间状态。买不起好的就用最差的,中档货色我情愿不要。

现在面对这样一箱子小宝贝,我有什么理由不欢天喜地。

姓李的那个家族渐渐被稀释了,溶化在我死乞白赖得来的上流意象里。我几乎就要把自己当成克拉拉·冯·土恩温特塔克西斯了。

现在我的名字是克拉拉。我一直在这么努力地想忘记我姓什么。我告诉不知道我底细的每一个人,就叫我克拉拉好了,我喜欢你们这样叫我,多叫一次我甘愿奖赏一百大洋。

不知道我姓什么,就不会把那个姓李的苏北家族连根拔出来羞辱我。我不知道自己姓什么,我可以给那个家里的人很多钱,但我没法爱他们。

就叫我克拉拉,就这样,请。

克拉拉小姐。如果我最后随便抽一块木料,你能准确说出它的树种及特性的话,这箱子里的一切就都归你了,以后回上海,我还会让法国萨尔妮制衣的裁缝专门为你定制衣服,并附送法国高级形象顾问一名——正是在下。小个子法国美男微微欠身,有点宫廷礼节的意思。

当然,这些只够在越南的 DOMOTEX 会展期间,以后的各种场合我会悉数配好。明天我会用两小时来教你一些交际礼仪,因为后天是 DO-MOTEX 的闭幕酒会,你要和塔克西斯侯爵一起出席。

很多相关的供应商和代理人都会露面,这次酒会对我们今后的生意非常重要。

那季媛也会去了?

我眼珠子转动得犹如电脑芯片,已经开始盘算着该穿短裙和她比谁的腿漂亮,还是找件能露背露到屁股沟的,在股沟处贴个金粉蝴蝶一次性纹身,当场盖过她的风头。

谁知扬·法朗索瓦的眉毛因为我这一句话骤然打了个结。

季媛? 他呵呵冷笑。

故意转头看了看别处,干咳了两声,手也跟着做作地揉了揉没有丝

毫紊乱的头发。

这才又回过头来,脸越发像个外交官般假惺惺的。

克拉拉小姐,您看,我们现在是否可以开始观赏一下这些可爱的小木块了呢?它们已经等不及要和您认识一下了。

对了。还有一点你必须注意,你涉足整个塔克西斯家族生意的事,不能让季媛和贝尔贡知道,起码暂时不能告诉他们。

为什么?我歪着头,越发好奇。这么风光的事,不让我的小冤家知道还有什么意思。

这是亚历桑德关照的,你别问我。木材圈子其实非常小,到处都是这几张面孔,塔克西斯家族的产业又树大招风,现在又是危难,我们小心行事总没坏处。

来,来。我们先看看欧洲榉木的生长周期。他在一箱子小木块里挑了一块白白嫩嫩没有大花纹的。

上课,起立,老师好。请坐。

粉墨登场

闭幕晚宴的餐厅里吊灯璀璨,长桌上的餐布被淡紫色的绸缎扎成优美的长卷。餐厅里穿梭着步态优雅的黑西服红领结侍应生,托盘里的白兰地香槟端得波澜不惊,也有司康饼和花式小蛋糕在香肩玉背的缝隙里穿梭。

男人们的牙齿都整齐洁白,颗粒均匀,强似宝石,在微笑的时候,时而冷光一闪。

扬·法朗索瓦正举着一个汤勺,检查完自己的牙齿,又换了个角度,对着自己的侧脸不厌其烦地照了又照，之后他还趁人不备照了下自己可比瑞奇·马丁的电臀。当然在刚才出门之前，他撑开裤子，朝我炫耀了一翻他今天穿的是 LACLOVER 女士提臀内裤。

贝尔贡搂着季媛出现在宴会大厅时，不知扬是顺便在他的小汤勺里看到了，还是完全巧合，反正咬着嘴角，撇下众人，径自走开。

亚历桑德用目光按住我，示意我别管那么多。

而奇怪的是，贝尔贡的手很快也离开了季媛的腰，两人分开来在宴会厅里左右应酬，连彼此的目光都技巧性地保持平行。

我饶有兴趣地看着扬·法朗索瓦的背影，身边人微妙的表情转换，一切忽然显得很有趣。

一个长脸男人冒冒失失地进来，唐装，绢丝大折扇上写了个大大的龙字，东张西望的时候，心无旁骛，目光锐利如鹰。

他的脸怎么那么长，光头怎么那么亮，下巴怎么那么尖，细长一条，就像……就像我的南非白人朋友——马特。

这不是咱克拉拉嘛！

他一脸惊愕地朝我走过来，但依然记得和我秀他的一口京片子，这地道得比老北京丝毫不差的发音，却又不掺半点东方痕迹的西方人相貌，不是马特又是谁呢。

我撇下众人，在亚历桑德的手心里恁地掐了一下，他肯定知道我什么意思。

我只是看着这个讲一口京片子的南非白商人朝我张开双臂，无限娇媚地和他贴了贴左脸，又换到右面贴了贴，并附在他的薄耳垂边稍作解释：真高兴在这里见到你。等会儿我介绍个大美女给你，我今天就是陪她来这里玩的，她是我的同学，叫季媛。

马特听不出感情地呵呵笑了两声，手在我裸露的背上轻轻拍了两下。

以后吧。他说。今天我只待一会儿，马上就走，要赶飞机回上海。

我在他怀里生硬地停了几秒钟，咽了口唾沫。迅速做出决定不向他介绍亚历桑德,也不表明我和亚历桑德的关系。我一直相信,女人把追随自己的男人当客户群去维护和开发,到头来,必然有利可图的。给他们一些,不给一些,是非常值得推敲的事。

我想起来我告诉他我要带旅游团来越南的时候,亚历桑德还没出现,而马特是告诉过我,他要来海防参加一个什么展会的。

一晃又过了几天而已,一切天翻地覆,我把马特都快忘得一干二净了。

他似乎并未对我出现在这里有更多的探究,而是吻了吻我的脸颊就转身去了洗手间。

我迷迷糊糊地看他转个弯走开,发现这个晚宴在觥筹交错中像一场充满噱头的悬念电影。

亚历桑德和贝尔贡又在热火朝天地谈起小布什和克里来,我真有点嫉妒那两个其貌不扬的美国老男人,竟然比女人都更打动男人心,男人能成为男人的谈资那定是有着非凡魅力的。

而我亲爱的小冤家季媛这会儿不在大厅里,不知道闪到哪里去了。

那我的扬·法朗索瓦呢?

我开始四处寻找我的英俊小伙伴。

我穿着扬·法朗索瓦为我挑选的 ANGELA 蝉丝提花长裙,脖子上用黑玛瑙斜系了两朵木棉花,正好衬出耳朵上法国一品的梵克雅宝垂线型耳坠。

我的私人助理总是喜欢画出搭配的效果图来让我过目,并且在等待我赞美他的时候,早早或站或坐地摆出了一个配得上任何美言的造型。

不过这会儿造型男教我的淑女站姿有悖力学,站不久,脊椎和肩膀都隐隐作痛。

宴会厅里的空调开得很冷,我光溜溜的背没有任何遮拦。我有时觉得上流社会的生活就是让自己不舒服。吃腥气的牡蛎海鲜怎么有吃红烧肉舒服,穿裁剪过分精细的衣服怎么有粗布大衫舒服,淑女风范怎有大哭大笑尽兴。

但这不妨碍我朝各路嘉宾伸出我戴镂花手套的手，被人虚假地亲吻，再虚假地回应一个笑。

我不是从小梦想的就是这样的生活么，矫情的精致。上流，上流，再上流，现在却知道并不是什么轻松的事情。

穿回纹及膝裙的季媛从洗手间的方向又一次拐进大厅里，脸上红扑扑的，仿佛刚刚剧烈运动过一样。

她再次夸张地和我拥抱，咯咯笑个不停时让人想起大笑姑婆杨千姝，傻大姐那么个笑法，到头来赚了名赚了利，还没人觉得她狡猾，我觉得季媛这么又抱我又笑个不停，绝对是赚着了什么。耳朵上的水晶圆耳环随着身体的晃动，也像是两张咯咯大笑而张成O形的嘴。

她见到我时的那种亲切劲儿有时真假难辨。热烘烘的身体蹭进我的怀里，我们的乳尖抵在一起，摩擦生热，酥软微妙。

我这样贴着她的身子时不知为什么有点死生契阔，与子相守的感觉。

也许在这个圈子里，我和她再怎样都是一条绳上的蚱蜢，也许还在蹦，互相看不顺眼，但心里也明白彼此同病相怜，互相是镜子，照得彼此透亮。

她在我的耳际轻声说，你的裙子料子舒服得很呢。一双描画得蓝盈盈的眼睛饶有兴趣地上下打量我，几乎要把我皮肤里猴年马月的污垢都要看出来似的。

我则拍着她的背，一个劲儿地赞她到底是大美女，穿什么都灵得没话讲。

可笑。

女人的心思谁还不知道，越是表面上是亲密无间，其实心里计较更甚。

眉眼娇笑，搔首弄姿，谁才是今晚的女王。

宴会开始，季媛硬是挤在我身边坐下，口口声声又喊出那句口号，阿拉小姊妹应该好好聊聊。一会儿拉拉我的手，一会儿扭一记我的脸。越这样，我却觉得她有点不安，不知在躲着什么。

我们面前银红窗框里的玻璃上，酒杯与银烛台的折光摇曳生辉，远处隐约的黑色深海，海腥气似乎一直在透过墙壁渗进来，近处窗外拉出簇簇木棉花，新鲜的牡蛎和龙虾待在冰屑里。

良辰美景如此，而在座的一个德国人，一个法国男人，三个美国人和贝尔贡及季媛却依然把大好时光用在两个政客身上。

亚历桑德老生常谈：美金贬值已经让我损失了几千万，让许多欧洲木材供应商相继破产。

美国人喝了口红酒，悠悠反驳到，那些做亚洲市场的欧洲商人破产不是因为美金，是人民币。人民币一直盯着美金，这才是关键，这才是！

如果人民币升值的脚步快些的话，这个问题也就解决了。你们欧洲人为什么把责任只推到美国身上？另一个美国人快速接话，口气显然很不耐烦，一脸让人想啪一巴掌扇过去的嚣张。然后莫名其妙地笑起来，笑声像土狼嚎叫，三层下巴也跟着拖到了锁骨上。

不管怎么样，小布什一定要下台，只要他下台，美金对欧元的汇率马上重新好转。ALEX狠狠做了个大刀向鬼子们的头上砍去的手势。

塔克西斯侯爵，您的愿望真是太美好了。只可惜，老克里太弱，他连个明确的立场都没有，也没有煽情的功夫，根本没法把布什拉下马。肥硕的美国枫木商人拿起生牡蛎，挤好柠檬汁，专心致志吃起来。

而今晚心事重重的扬·法朗索瓦，原本沉默地吃着，这时却用餐布抹了抹嘴巴，盯着牡蛎吃到一半的美国佬说：好吧，就算现在美金的情况对我们很糟，整个亚洲市场的热点也从榉木时代到了橡木的天下，但这场灾难里，我们的对手都在我们之前破产或倒闭了，只要我们找到亚洲市场的切入点，那么我们就可以很轻易地成为亚洲最大的榉木供应商。我们其实未尝不感谢美金打击了我们的对手。

呵呵，我亲爱的扬·法朗索瓦！

体积庞大的美国人朝法国男举起杯中的酒：你真不愧是时尚青年，按你的说法连木材都是有时尚的，这一季是橡木，下一季像 60 年代小圆点回归一样，欧洲山毛榉也卷土重来了。那么，你倒说说破产以前的财产能怎么走着猫步回到你账户上了？

破产。

这一句话，绝对是重量级的炸弹，不止把我吓了一跳，让季媛的脸也颜色微变，更把扬·法朗索瓦顷刻间炸飞了。他愤然把餐布朝桌子上一扔，甚至也不管那一角是不是扔进了汤里。

他推开椅子大步流星地走了出去。

走之前，朝我这个方向恶狠狠看了一眼，我毫无思想准备地打了个寒噤。

关我什么事？

贝尔贡和亚历桑德交换了一个眼神，但又同时为了这个眼神而有点不自在，忙举起面前的酒杯喝了一口。

整个晚餐，我相信我是惟一吃饱了的。非常笃定地慢慢从红酒小羊排吃到青蛙绿的 BELUGA 鱼子酱，在香橙优格布丁之后，还有闲心自己用红豆、栗子、油橄榄、香草冰淇淋、草莓酱和奶粉自制了一份混合冰激凌。

我惟一没用在吃上的一句话是被他们逼得没办法了才冒出来的，傲慢的美国人看我只顾吃得津津有味，原本以为我是对他们谈论的一切一窍不通的中国瓷器花瓶，当然更不知道我是国际贸易专业的科班出身，会德语英语马来语，并且受了木材知识的强化训练。

美国佬只等着我说出蠢话来逗乐。

于是他们问我，克拉拉小姐，我们非常想知道，您对现在的形势有何高见。

唔……这个么。蠕蠕嘴巴，我把一颗西班牙油橄榄很不情愿地从口中取出来。

其实……机会就在眼前。

我故意顿了顿，先卖个关子。之后强迫自己从盘子里的火腿哈密瓜上移开视线，要知道我好不容易用刀把火腿薄片包住了哈密瓜，这可比用筷子吃豆腐难多了。

各位女士们绅士们，也许我才识疏浅。不过北京有 2008 年的奥运会，谁能拿下场馆建设的木材供应项目，那谁盘踞大陆木材市场的主要份额也是理所当然的。

我的一句话之后，西方男人们的咖啡眼睛、孔雀蓝眼睛、绿宝石眼睛、死鱼灰眼睛统统骨碌碌多转了几圈。

▶▶▶▶ 对帕丽斯·西尔顿小姐的私房话

回到上海。

在银行家俱乐部顶楼套房的第一个早晨，扬·法朗索瓦一大早打破我的美梦，抱着精心挑选和他衣服颜色搭配好的金色漆皮文件夹，啰里八唆向我展示当天午餐前要穿的衣服和各项行程安排。

末了传话，说塔克西斯侯爵问起我的生日要怎样庆祝。

嘿，这个才是这大好清晨我该听的。我活动活动眉毛摆出克拉拉招牌笑容。

不瞒你说，我克拉拉活了 22 年这还是头一次，有人要为我庆生。如此冷清的 22 个年头，每个生日都是平淡如常地过去。

原因当然不是我怕似水流年，更不是我幡然醒悟做人要低调的道理，不过是按我这种宁缺毋滥的概念罢了，觉得如果生日的排场不能和帕丽斯·希尔顿小姐相提并论，那我情愿不过。至于今年，既然亚历桑德有心，扬又全心全意为我服务，而且一时半会儿又没有婚礼可以玩，我当然要就着生日大操大办一场。

为什么瞄上帕丽斯？很容易解释，她和我同岁，同样狂热落寞，甚至对法国 LOLLIPOPS 糖果桶包包也是一样一见倾心，还有 PINKIES PALACE 的粉色豹纹猫夹脚凉拖，不过她老是被评为最差服饰品位奖，所以我还是少说我的品位和她有什么苟同为妙。

别人只看到她被拥簇宠爱，锦衣玉食，而我艰辛落寞，众叛亲离。但我观望她，一如自己，派对或独处，被爱还是被遗弃，带来一样的溺死人的绝望无聊，无处倾诉，只有找到一种可以深刻伤害别人伤害自己的方式，足够深，深到入骨入髓，刺到细胞内核，从此才能取得最真实的痛感。

所以三个月前的 2 月 15 日，在她 22 岁的生日派对上，她和前男友索罗门的长达 36 分钟性爱录像被曝光，互联网三个月后的今天依然广泛流传。

事后看她的表情，也只是深深的厌倦，没有其他痕迹。就是那种站在某个没有风景的街角，换了 N 种姿势，把一首口水歌哼到听见唱片嘣裂的声音，抽掉了包里最后一颗烟，之后确认自己实在太无聊。

不痛，还不够痛，一切都是虚无，对你笑的人，不是真的在笑，说你漂亮的人，也许心里正在嘀咕你的鼻孔怎么那么大。一切没有真实的质感，一切都不值得一提。

帕丽斯小姑娘，我全都体会的到。

她每一个生日都兴师动众，而我克拉拉却至今未曾庆祝过任何一次生日。

今年要有所改变。

我要在离希尔顿小姐近一点的西半球某地举办，而且要寄一份请柬给她，来不来由她去，我只是要让她知道这世界上有我克拉拉，不是她一人穿着疯狂的红舞鞋，胡作乱作，无法停下。

这个仪式如果可以有一个主持，我极愿意是文森特·梵高。

这个人也像我和帕丽斯一样，疯狂地想抓住世上可能存在或者根本不存在的一点真。疯狂，所以胡作非为，所以把耳朵割下来祭祀爱情，血淋滴嗒地捧在手心上，献给心爱的姑娘。

他死了很久了，他的表达方式真可惜没有世代相传成为风俗，人们还是觉得千篇一律的红玫瑰比流血的耳朵更动人。

但我爱割耳朵的仪式，我多希望在我的生日上有人捧着流血的耳朵来对我说他爱我，爱得发疯。然后我可以把我的耳朵割下来，像互换戒指一样交给他，找个外科医生，把他的耳朵缝在我的脑袋上，而我的耳朵则在他的脑袋上驻扎，多好。

我的 22 岁生日派对一定要在离梵高很近的地方举行，以此向他表达我的认同与追崇。

阿姆斯特丹，就这么决定了。

亚历桑德是这世上第一个记得要给我过生日的人，遇见他，应该对我有更多意义。

从那个苏北弄堂搬出来，李桃桃的故事从此就该结束了吧，克拉拉崭新的故事就开头了吧。

这一切需要一个仪式。

▶▶▶▶ M－BENZ 上的线索

6 月的欧洲水城还是凉飕飕的。

荷兰皇家航空的空姐一个比一个肥大流油，正好跟大得像迷宫的机场匹配，我跟在蓝制服的她们后面，闻了一路浓浓的 CHEESE 味，穿过

堆满郁金香与小木鞋的纪念品商店，终于看见约好碰面的放满 GIN 酒瓶的整面冷光玻璃墙，几个壮硕的男人们站在吧台边喝着饮料，说着比德语还要生硬的荷兰话。

扬·法朗索瓦在来来往往的人群里依然抢眼夺目，这漂亮的小个子男人，今天穿着嫩红的骑士夹克，打了温莎结的条纹领带，朝我酷酷地一招手，我身边的各色女人都被招了魂魄似地看过来。

他和我贴了贴脸，敏捷地抖开挎在手腕上的一件女士银灰长风衣，让我穿上。

只有 16 度，冷。他说。

一边得意地带我上了外面的 M-BENZ 双人座跑车。这么短的时间他也有本事弄来超炫的座驾，跟着他永远好戏连台。

生日派对我都安排好了，节目保密。现在有件事比较棘手，你先看下这个。

他按下按钮，车座前的小荧幕弹起，点亮，

一则新闻正在报道 2004 年雅典奥运会的圣火全球传递活动。

象征着奥林匹克精神和世界和平理想的火种在经过北京和墨西哥城之后，又经过了圣火在美国传递的第一站洛杉矶，目前正在送往美国东部地区的亚特兰大和纽约。

在奥运会的火炬传递之后，紧接着的一条短短的新闻让我从所有如坠迷雾的国际形势里看到了一丝曙光。

昨天记者获悉，2008 北京奥运会所带来的商机正成为深圳企业"掘金"的新目标。深圳一家家具生产企业成为中国奥委会的惟一专用家具提供商，首批 200 万元的榉木家具已经运往北京，在中国奥委会所在地的会议厅和贵宾厅使用。接下来还会有一系列的奥运村家具订单，将给深圳家具业带来巨大的商机。

我竖着耳朵，浑身肌肉绷紧，在虔诚地听完了最后一个字时，我和扬互相望了望，眉开眼笑。

是个好消息对吧？他十分有把握地说。

我没吱声，定了定神，重新把他录下来的这段新闻倒回去又仔细看了一遍，确定自己没有遗漏什么之后，我捏着自己的硅胶下巴看着车窗外空旷的阿姆斯特丹郊外，天空很明净，通向老城区的高速公路旁看不见风车的踪影；可是，新闻里并没有提到这深圳惟一一家奥运会专用家具提供商的名字。

扬，你听到这个厂叫什么名字了么？

他耸耸肩，根本不当回事。

连厂名都不知道，还有什么希望把木头卖过去？

他不信我的，只要有了现在的线索，我们 GOOGLE 一下肯定就知道具体厂商的情况了嘛。

我拿出我的商用手机马上 GOOGLE 起来，甚至试了其他数个搜索引擎。

但所有的报道都只说"深圳一家家具厂"，没有半条消息透露出具体名字。

▶▶▶▶ 左边麦当娜，右边克拉拉

白色鸽群此起彼伏，两个身上涂成青铜色的乞丐装扮成护城士兵，在夕阳中认真变化出各种造型。DAM 广场纪念碑前，躺着坐着立着各色男女。我们要入住的 NH Grand Hotel Krasnapolsky 酒店门前热闹异常，一群中年人在示威，大标牌上隆重写着：麦当娜滚蛋。

就在我来荷兰之前，街头小报上还报道过有位牧师对警察谎报说有炸弹，想以此来阻止麦姐今年的"自白之旅"巡回演唱会。据说这次巡演概念大胆前卫，她多次把自己绑到一个巨大的镜面十字架上演唱，并戴上荆棘王冠，灯光的效果让她看上去很像耶稣。在演出换衣服的间隙，大屏幕上来回闪着尼克松、布莱尔、希特勒等政治人物的照片。

麦当娜是不朽的，她有永不老去的青春期。她也应该来参加我克拉拉小姐的不朽生日派对。

我住在 6 套豪华套房之一，她应该此刻就在我们隔壁。

喂，扬·法朗索瓦，你还有多余的请柬没？

你还嫌不够吗？他一幅难以置信的表情。我已经发出了 365 份请柬。

我说，那正好，再加一份，366，以防闰年多出来的那一天。

我是故意凑了这个数字的。365 天，天天有人陪，天天有人来打岔，这才没了时间去唱苏北弄堂的咏叹调。

请柬都发给了谁，我把名单给了扬，自己都记不得了。

在酒店房间里打开无线传真机，看到陆续发来的确认。说要来的，都是陌生的名字，这个银行家，那个政府要员的，估计都是亚历桑德的各界朋友，但我真想见到的人，没有任何回音。慢着，我有真想见到的人吗？姓李的父亲，姓叶的母亲？小冤家季媛？圣若兰女校的校长？W 大学的秦教授？情人 A、B、C、D、E、F？光头马特？

光头马特！

得。说曹操曹操到，我的手机接起来，正是马特的京片子。

哟，丫头，我刚从深圳回上海，这不……看到您过生日的请柬啦。

您忙您忙，那您是来还是不来，我位子都给您留好啦。

您这也忒远了点儿不是，阿姆斯特丹，我来回就得二十多小时呢。

成，我明白了，您这是不能来了。

丫头，实话实说，我跟前儿几天特忙，明儿还要去北京谈新项目，先电话里给你说声生日快乐！回来，咱请你吃饭。成不？

成，成，无所谓，怎么都成。先谢谢您。

那回见！

回见！

深圳回来，又去北京，什么新项目忙成这样子。我把马特掂量掂量，说不定什么时候他能帮上我的忙呢。

这边马特刚挂，又个电话进来，我一接，嘿嘿，是我刚才念叨的冤家季媛。

我倒要看看她的回复。

克拉拉，你过生日，我当然要来，只是我这两天生意很忙，一时脱不开身。你也知道，贝尔贡的生意离了我不行的。她的声音又甜又腻，肯定不怀好心。

哦，真的吗？我冷笑一声。

其实你也不会在乎我来不来，听说塔克西斯侯爵和他的妻子苏珊娜也会一起出席呢，真是热闹啊，我要是不用去北京就好了，真可惜……不过我礼物倒准备了一份，等你回来到我这儿来玩时给你。

我一下子跌进沙发里，半晌说不出话来。她最知我痛处，以前她知道苏北弄堂，现在她知道亚历桑德，她对我猛下毒手，我防也防不住。

呆掉了。

我敲敲墙壁，看看麦姐在隔壁听到么，说不定可以一块喝一杯，她郁闷，我也郁闷，两个倒霉蛋。

等我喝口酒，缓过神来，这才奇怪起来，马特要去北京，季媛也要去北京，难道都去天安门看毛主席了？

北京最近到底有什么宝贝让他们统统往那里赶呢？等我过了生日，得好好查查。

▶▶▶▶ 杜莎蜡像馆的派对

　　扬这次守口如瓶，直到傍晚 5 点半，我依然不知道晚上的节目是什么。

　　他把我按坐在镜子前，用桃红刷过眉骨与上脸颊，整个眼睑用对比色涂满金绿，粗黑眼线和卷翘假睫毛一上，再戴上咖啡色假发，我就活脱脱成了芭比娃娃。一套华丽宫廷风的 GIVENCHY 哥特礼服，将我推向阿姆斯特丹今晚的 SHOW TIME。

　　扬把跑车在杜莎夫人蜡像馆门前停下，17 世纪装饰风格的老建筑，把荷兰黄金时代的记忆完全重现。

　　一条红地毯一直延伸到大厅，毯子上洒满亮片，围观的人里三层外三层，虽然没有一个熟人，但热闹的气氛还是让我心头一热。

　　扬走过来，为我拉开车门，在我踏出车外的一刻，掌声四起。

　　走过一路红地毯，今晚的杜莎夫人蜡像馆被扬全场包下，并特邀皇室御厨来做外烩。

　　里面来宾就像我所知道的那样，没一个我认识的，全是看着亚历桑德面子来的，我和他们一一握手寒暄，扬在一边身份隐蔽地告诉我他们的姓名与身份，我朝他们微笑，并对他们送给我的礼物发出适当的赞赏。

　　终于一切礼节完毕，我却没有见到亚历桑德和传说中他的苏珊娜的影子，有一点点欣慰有一点点落寞，不过很快就被扬给我的生日礼物打断了。

他拿着话筒,咳嗽两声,站在一群明星蜡像之间,示意 WAITER 把一样东西推上来。

一个和我一样大的盒子被小推车缓缓推上来,我捂着嘴巴,不让自己叫出来。我预感到那会是什么了。

他让在场各位一起倒数一、二、三,克拉拉生日快乐!

之后掀开盒子,竟是一个和我今天的装扮一模一样的我自己的蜡像。

大圆脸,大嘴巴,细眉细眼细鼻子,芭比娃娃妆容,完全和身边其他明星们一样仿如真人。

而且,我的蜡像手中还拿着一样收到的礼物——流血的耳朵!

我不记得我告诉过他,我希望收到这样的礼物,他这人实在 007,总能做到神不知鬼不觉。

扬不给我时间消化,接着宣布,大家现在请走出蜡像馆,步行回到 DAM 广场中央。

几分钟后,由荷兰皇家礼炮部队开始了烟花表演。

一层又一层的花朵幻境,在明澈的夜空中铺展,路人纷纷仰起头,和我一起凝视这璀璨时刻。

我看见,那些我最爱的紫色小花,最后在夜空中拼出我的名字:克拉拉。

而落幕时,在我的名字后,出现金色的数字:22。

我搂住扬,说了句什么,自己也没听清。

▶▶▶▶ 我要糟蹋你,让你生不如死

一进入上海闸北区的地界,莲花跑车的底盘再好也明显颠簸了起

来,路面被乡下进城的重型货车轧得坑洼不平,窗外的灰黑老公房满目疮痍,像是火灾后的现场,很多人起床了,正站在破碎的玻璃窗后刷牙,混浊的目光看到哪里就瘫在哪里,哪里都是一样的。

车子就这样从繁华地段的银行家俱乐部开到北面来,往北,再往北,每开一寸,都像是开在我的血管里,和我的苏北戏班子家族的血一起奔涌,祖宗八代,来龙去脉,都成了幻灯,被投影仪一张张放过去。

亚历桑德不说话,我知道是因为窗外的景象如果配上阴冷的背景音乐那就是一部惊悚片最好的场景。

拉起手,在这里。我们的手像河蚌的两片壳,紧紧地互相牵连。

看吧,在这黢黑腥臭的弄堂里,我度过了怎样一段蛰伏与等待的时光。

鞋儿——擦! 鞋儿——擦嘞!

我叫司机停车时,亚历桑德显然不相信自己的眼睛。他从变光眼镜后面和弄堂口一排擦鞋的附送观赏乳沟的女人们目光对峙,竟然有点瑟缩。

风里都是灰,人们的面容混浊不堪。

这是哪里? 他眼睛里的咖啡被搅得一圈圈旋转不息。

我捏了一下他的手背,点点头:就是这里。跟我来……别说……什么都别说。

他双手合十,作了个揖,什么时候他学会了出家人才用的手势。

弄堂口一面是垃圾桶和简易男人小便池,一面是高挂红灯笼的洗头店,店门口终年有穿着劣质紧身衣的乡下女人浓妆艳抹地坐着站着蹲着,朝附近工地上的民工和下岗工人搔手弄姿,那样的风尘麻木的脸上已经无法做出羞耻的表情。沿着弄堂口走进去,到处是治疗性病淋病的广告单子,身上爬满虱子的野狗野猫老鼠四处乱窜,有的人就着酱油汤吃泡饭,有的搬个黑白小电视从早看到晚。

麻将声声,绵延不尽,人们麻木地摸牌扔牌,一生也就是被大环境丢丢掼掼，永远不知如何是好的样子。

我和 ALEX 手牵手走进世界末日里的弄堂。我们的手心与掌纹贴在一起，被汗水浸湿，粘在一起。

伺机夹人钱包的新疆小孩跟在我们身后，我让 ALEX 把钱包从屁股后面拿出来抓在手里。擦皮鞋的女人们此起彼伏地拉长了奇怪的声音吆喝着：鞋儿——擦！鞋儿——擦嘞！眼睛往 ALEX 的下身瞟了一眼又一眼，一阵腥臊围过来，我想起了久违的恶心感觉。

在躺椅上睡觉的人们毫不掩饰地瞪着眼睛观察着我身边的西方男人。上海的洋人多是多得数不出来，但那是襄阳市场的事儿，是老法租界里的情调场所的事儿，和城市的北面是八竿子打不着的。

在太阳底下剥毛豆的老太太们开始议论我们这稀罕的一对人。

搓麻将的人们也看见了，在东风西风之间，有人用苏北话故意大声说着：和洋鬼子混的女人，哪个不晓得是什么鬼把戏！

亚历桑德虽听不懂，但手却更加用力地攥紧我。那一刻，我们如此孤立无援。

走过瞎子裁缝的小摊时，她用力吸吸鼻子，两个死白的眼珠子直勾勾地盯着我，手往大腿上猛一拍，跟着就叫起来：哎呦喂！李家小姐姐回家来了喔！你爸爸将才出去，搓麻将欠了麻子 600 块钱。

我只是拉着 ALEX 绕过她，绕过去，绕过去，绕过了苏北人的前世今生。

一厚摞信用卡的账单信封插在我房门的把手上，我面无表情地拿下来抓在手里，然后用钥匙开门。再过几个小时，所有的账单和信用卡都会一笔勾销。我会从此有金卡，成为名符其实的VIP。

亚历桑德有点被吓着了的样子，默不作声。

门一开，忽地飞出几只蛾子，跟上几只大苍蝇，又蹿出一只大蟑螂，一只一尺长的老鼠紧随其后。

他的身子随着瑟缩一抖，禁不住后退了一小步。

给我 10 分钟，你就站在这里。我生硬地说，不忍去看他的眼睛。

他就留在门口，看着我在杂物满地的房间里瘸腿鸟一样左蹦右跳，一会儿从地上捡起一管口红，一会儿从床底上拉出一双高跟凉鞋，他惟一说得出来的只剩这一句。

你怎么可能住在这里。你看起来……什么都好。

我就住在这里，住到光鲜美丽的 22 岁，倔强地活下来，侥幸没夭折。

挂窗帘的绳子断了，我用研究透彻了的周末画报糊住窗玻璃。

各色名贵的衣服像地毯一样层层叠叠铺在地上。

没有一扇柜门是关上的，没有一块柜子玻璃是完好的。

长筒袜和内衣夹在书本之间，卫生巾窗台上两包枕头边上三包。

喝空的饮料瓶在墙角堆起半人高的小山，墙壁黑黢黢的，到处都是浮灰，碰哪里都会弄得脏手。

写字台像是一只平底锅在炒大杂烩，各种化妆品、杯子、杂志、CD、账单、电线全都炒在一起，如果在其中翻找，忽然翻到连自己都不记得买过的东西，会有种捡到皮夹子似的兴奋。

冬天盖过的被子团成一团占据着另一个墙角，那种委屈的样子，认命了似地，早早明白宿命是进垃圾桶，而不是被洗干净了等着下一个冬天。

去年地板缝隙里的苍蝇卵出落成硕大的成年苍蝇，一公一母，在我的安娜苏的小人头香水瓶上做爱。它们的激情看不到疯狂的颤动，也不知道汗水从哪里分泌的，只是一只叠在另一只的上面，时有体位的变动，却那样隐秘，观察不到更多。

在我视线顾及不到的地方，多少南方的油亮褐色蟑螂在爬动，多少蚊子和蚂蚁在那些空瓶子里安家过日子。

生机勃勃的房间，热带雨林般生猛。

在这里，我一直看不到将来。

这里只能用来睡觉和放东西，如果要回到这里来，我必须确定自己已筋疲力尽，一回来就可以倒头大睡；如果在这里醒来，我会想好所有一天要用到的东西，统统背在身上，保证自己不到累死决不返回。

笔记本电脑和电源。SONY 数码相机和 USB 线。健身课表和运动衣球鞋。香烟打火机。闲书和语言教材（德语、英语、法语、印尼文和广东话逐天轮换）。POLO 大墨镜和隐形眼镜。化妆包要足以应付派对和休闲场合。

我把生活揣在包里，四处游荡。

东西要么背在身上，要么就随手扔在地上，有时一脚被踩坏了，有时就莫名其妙地消失了。

这样的房间根本不配被打扫，我就要把它弄得不堪入目。只要我从这里跳出去的希望不灭，我就永远要虐待它，要毁灭它，我要把我的恨全都发泄在这里，让它生不如死，因为所有对好房子的爱我都要留到以后。

以后。

我终有一天会在上海的西面有我自己的房子，复式的，客厅大得可以夜夜开舞会，而且不是交谊舞，要跳就跳我在圣若兰女校时学的那种欧洲的宫廷舞，侯爵公爵子爵，皇亲国戚，高官显贵，交错旋转，一圈一圈又一圈，所有人都轮一遍，爱火噼啪作响，衣香鬓影，葡萄美酒。

要在西区最中心的中心，高档物业的顶楼，像上帝一样可以随时俯瞰我爱不释手的物质地带。方圆 10 米之内有罗森而不是良友便利，有可颂坊、香缇而不是菜馒头肉馒头的小铺子。

要有很多老外出没于那里，摩登女郎们比时尚杂志还要熟悉怎样打扮，酒吧和咖啡馆就在隔壁，凌晨三点也可以去喝一杯，穿吊带裙不穿内衣走出去没人觉得稀奇，没有小裁缝坐在门口监视你，没有乞丐，没有黑心棉，没有苏北话，没有恶心的猥琐男人住在隔壁以听我房间里的动静为乐。

有了那样窗明几净的房子，在西区的，我就会好好地收拾它，跪着擦地板也好，成天洗窗帘被单也好，给花浇水也一样，都是快乐心甘。

我还要买下达芬奇家具的水晶吊灯和全套 BUEBERRY 格子的台布

床单枕套，多贵都舍得。

风会从帷幕重重的高档窗帘缝隙吹进来，带来保加利亚玫瑰的香，而不是奇怪的肉腥味。只有鸟儿的歌声，只有唱片机里低柔的风笛，操着大嗓门的苏北人不再出现，终于消失。

我所有要带走的东西依然装不满大半个皮箱。

我在触目惊心的背景前朝亚历桑德微笑。他愣愣地接过我的箱子。

我从他那永远装着不下三千现金的钱包里，把所有的人民币都掏出来，塞进我父亲房间的门缝。

门缝中透出铁器生锈和湿羊毛的味道。

侯爵不问我为什么。他只是一手拉过我的箱子，另一只手蒙住我的眼睛。

闭上眼睛，跟我来。他的声音轻而坚定，粗糙的手掌温暖有力。

转身离开。

我跟着这个要我陪伴余生的德国男人走出来，有很长时间，我们没法说话。

车子又开起来，窗外的灰色公房迅速后退，渐行渐远。

再一个转弯，到了铁路的南面，阳光在崭新的蓝色有机玻璃大楼间折射来回，光明将灰暗掩埋。新房子阴谋着拉起更高的水平线，老的私房被不断淹没，成了这个城市填充般的灰背景。

在没有了苏北弄堂的背景里，我忽然觉得自己原本是卡通人物，一下子从原来的位置被剪下来，头重脚轻，只剩扁扁的一片。

我的硅胶下巴

我大圆脸,大嘴巴,吊眼梢,淡雀斑,细眉细眼细鼻子。好莱坞的花木兰就是照着我画的。

这是我现在的样子,西方男人看我第一眼不会知道我是日本人韩国人还是中国人。中国男人也说不出我是北方人还是南方人。

一般来说,人的长相都有地域特征的,再怎么生得巧都有。如果现在别人看不出来了,只剩漂亮与不漂亮的评价,那惟一的真相就是,我整过容。再无其他。

起先我也不信这个邪,可当越来越多的人在看到我的第一眼时,就能笃定地说出我的祖宗来自苏北一带,我开始无比怨恨地对着镜子观察自己。

我那些日子每天都像看恐怖片一样,即怕又忍不住好奇地开始观察自己。

而我的苏北祖母还在,她瘫在床上很多年,很少见她睡觉。她几乎就是房间里的一尊佛像一样,一动不动地倚在床上,睁着灰黄的眼睛,看电影一样看着我的一举一动。时而吃过饭了放屁一样响亮地开始打嗝,要么,打嗝一样响亮地放屁。

我相信看着我是她惟一的乐趣。

她永远是面朝着我的,随便是坐着还是躺着,吃饭还是晒太阳,她就要时时刻刻地盯牢我。

她以死相逼要我和她睡在一个房间里,她用祖宗的牌位把另一间空房间占着,她说大姑娘家不能自己一个人睡。她说这个的时候,我觉得她是想说,我就不给你机会自慰。

　　她总是说我生得太漂亮,和她年轻时多么像,如果日本鬼子再来的话,难保我不会是他们要抢走的花姑娘。

　　什么三料个子,什么团团脸,什么眉如剑,又是什么肉呆呆。

　　什么时代了,三料小个子还叫美女? 正方形又有肉的脸也敢叫美女? 身上都是赘肉……怎么像说芙蓉姐姐似的。

　　被她这么一说,我倒忽然清醒了,苏北女人的特征其实就是她说的这样。

　　皮肤照例是非常细非常白嫩的,且晒不黑,而脸盘子就是我之前生得那个样子,是正方形的鼓绷绷的,两腮上的肌肉异常发达的,下巴短,单眼皮居多。有点像蒙古人。但身上的肉又很松,而且怎么瘦还是有肉。

　　生了这种脸型你就完了,随便什么倒三角脸、马脸,头发盖下来就好看了,大S徐熙媛是倒三角,欲望都市里的CARRIE是马脸,谁又觉得她们丑了。只有我这肌肉发达的正方形脸就是没法靠化妆和发型来改变的,除了苏北男人,其他男人都是最不喜欢此种脸型的女人的。

　　我的爷爷被指了亲之后,在结婚的前一天去田里看我的奶奶。

　　两个人默默相视面对没几许,爷爷冒失地上前捣了奶奶一拳,顷刻惊呼:哎哟喂! 肉呆呆地呢!

　　这门"肉呆呆"的亲就此称了爷爷的心。

　　他和她都老了,苏北的渔船在上海滩靠了岸了,戏班子解散了。种种一切之后,每每他还是会想起来:那一拳心里怎样欢喜得要命。

　　她虽脾气一直怪僻,听到他说这个,眉毛眼睛还是瞒不过人地舒展盛开,装聋着,问他,说的什么啊? 再说遍我听听哇。

　　是还想听一遍。再听一遍。不够。不够。

　　我记得在圣若兰女校时,正学到鲁迅有篇文章里有个"满脸横肉"的人物。老师叫人分角色朗读的时候,我的心都提到了嗓子眼。

　　我不知怎的有隐隐预感,我觉得教室里的每个人在读到这段时都首先想着我的脸。所以我那样怕叫到我来读课文，更怕正好让我读那个"满脸横肉"的人。

我几乎闭起眼睛来想求救。我的指甲插进自己的皮肤里，血迹已经洇出来。

几秒钟后，李桃桃的名字在血腥气的空气里无情地响起来。

我的脑袋被扫帚星扫了一巴掌。

所有的恐惧都不幸言中。

班级里一阵酝酿已久的笑声顿时爆发，女孩子们互相传递着古怪的眼神，前俯后仰地晃动着笑到痉挛的脸，应该可以比喻成风中摇曳的向日葵般的，但我呆滞地站起来，俯瞰整个教室时，只觉得面前放着一盆油炸蜜蜂，有的蜜蜂被连屎一块儿炸了出来，十分触目惊心的一幕。

所以我至今都不记得那个有满脸横肉的人叫什么名字，也不记得那是鲁迅先生的哪部作品。

我坚决要把脸上的肉削了，把骨头磨了，抽筋扒皮也不再让人看出来我是苏北窝子里出来的。

遇见韩国医生之前，我在上海试过一种瘦脸的疗程。

当然在这些之前，广告的瘦脸洗面奶和脸部燃脂霜也全都试过了，没有效果不能怪人家欺骗消费者，人家说清楚了是燃烧脂肪的，不是肌肉。咀嚼肌发达你得自认倒霉。

我稍后走进徐家汇巾帼园的一间瘦身中心，被一个胖头胖脑的东北大妞把我的脸粗暴捏了一刻钟，又被沾了某种成分可疑的药膏的贴片占据了脸部的要害。贴片个个通了电，从我的下巴开始有电钻猛烈地钻进来似的，牵连了所有的牙齿根部，以某种频率开始颤抖，合力开始让面部的每根神经都在酸痛，两颊跟着被电流推动的贴片挤压着，一下又一下，渐渐眼泪就被挤了出来，没有感情的液体，像是裸奔在足球场上的人们，有种得逞后胜利的表情，在我的眼窝里久久盘旋不肯落下。

即便如此的苦难，三个疗程后，我的脸也只是轻微瘦了一点点，没有人惊呼我怎么变美女了。

我照着镜子，对自己说。我还要美，我决不死心。

其实情人Ａ才不觉得我的鼓绷脸难看，他是在复旦的韩国留学生，这种脸盘子看得多了。光他们的留学生楼里出入的韩国女生，我看到脸比我大得就不下三个。

那段日子，16岁那一年，我上女校高二。

电光，烟寒，石锅拌饭。

留学生宿舍的18楼里再躁动迷离，总比在苏北弄堂里住着好。对门的津巴布韦黑小子成天放着暴烈的重金属，隔壁的法国妞每天深夜伴随着不同香型的香水味出去混，高跟鞋的声音一响起来，小联合国里的男生就忍不住要探出头去，看走廊里她迷你裙包着的翘屁股。

Ａ有时也要看一眼，他没义务对我忠诚，我也只是要找个干净的住着外籍人士的地方赖着。12平方米的小房间，一张床占了最大的空间，架子是沿着墙做的，卫生间小虽小但设备齐全。能随时洗澡是我最基本的欲望之一。

出《××童话》之后，赚了些小钱小名，又还没到自给自足的份儿上。就是忽然见了些小世面，又撑不起那样的世面。惟一确定的是那苏北弄堂里的破屋子自然而然地住不下去了。

我解决Ａ的生理需要，他解决我的物质需要，公平交易，愿打愿挨。当然，我还是占着便宜的，因为我自己也有生理需要。

但后来我发现他对我的所有意义还不止这些。

他的母亲来中国学术交流时，我才知道原来她是给韩国某明星动过刀的大牌整容医生。她在见到我的第一面用生硬的韩式口音的英语说，做女人不漂亮就别活了。生得不美，还不整容，那简直就是慢性自杀。

说完她捏了捏自己的下巴。

我注意地观察着她的脸，觉得五官都有可拆卸的嫌疑，像是脸上涂了一层油，又刷眼影腮红一样，浮在上面，一把拉就掉了。

我确定她是韩国盛产的人造美女之一，特别的是，她是不多见的中年人造美女。她有崔智友的瓜子脸和金喜善的大眼睛，胸部大概也做过,和变性人何秀利一样碧波荡漾。A曾跟我说过,他的父母三年前离婚,我当时以为是他爸爸外面找到了年轻漂亮的小妞,把黄脸婆一扔快乐去了。现在我怀疑是这美女妈妈甩了糟老头子还差不多。

她用十分专业地眼光开始观察着我,用手把我的刘海捋到额头上,凑近了细细慢慢地看。

唔。你的五官都没问题,脸型只要把两腮的肌肉开刀取出,再加一厘米下巴,你的命从此就变美女的命了。比金喜善的天生资本好得多。

对了,中国人讲究面相风水八卦的,我建议你先找位老法师看一下,省得改好了脸盘子,改坏了命盘子。

信不信随你。

当晚我去找了弄堂里的瞎子裁缝,她公务繁忙,身兼数职。

裁缝、鞋匠、修拉锁的、磨刀的、按小时计带小孩的姆妈、传口信的、还有,以瞎子为最好招牌的两种营生,算命和按摩。

裁缝住在用油毡布撑起来的小窝棚里,除了睡觉终年镇守在弄堂的交通要道上,一年四季,当全弄堂的人为己出。

奉上10块大洋之后。

她翻着白眼,托我的手于掌心之上,一点点摸索着我的掌纹。半晌道:

命随相变。

相由心生。

相变,则命有起伏。

李家小姐姐,自己了悟去吧。

第二天,我已经坐在手术椅里,被大块的酒精棉把嘴巴撑到装得下一个大苹果。她说这又不是什么大手术,我随身带的手术箱里的硅胶和药水针剂足够帮你变三个脸的。

半小时而已。

说得跟半小时能炒出三个小菜一样轻巧。

半小时里,A的母亲把我的嘴巴扳开成河马打哈欠的度数,然后在腮帮子上打麻药。脸部麻痹的状况是十分有趣的,我的嗅觉和味觉都丧失了,听觉让每种声响都重了影。

麻药开始发挥作用时,一把精密的小手术刀伸进我的嘴里。起先我地脑海里还是我坐在法式咖啡馆里,用小刀切乳酪的样子,我想象着那片小刀切开我软软的腮帮子时会不会带着些食欲的诱惑。而当腮上真的划开了小口,我感觉到她像抽厕所里的卷筒纸一样开始向外抽我的肌肉,我看不见我自己的口腔,只有无比贴近的被抽取的感觉,也许那情形比喻成屠夫掏猪大肠也是可以的。

我不再有任何美好的想象。

我干脆恶心地闭上眼睛。

嘿,你不能闭眼睛,最好看看你自己的肌肉组织,不是每个人都有机会看到这个的。

中年的韩国女人几乎强暴撑开我的眼睛。

在强光下逐渐恢复的视力让我想起调试海外电台的频率时,听到了两个频道重叠在一起的声音。

看清了,一团类似深海鱼油的黄东西悬挂在我的上方,味道腥臭,样子更贴切地说,是忍者神龟里软体怪物的样子。

中年韩国人造美女用小钩子吊着它们,在我面前炫耀着自己半小时的战果。

我的胃里发动了搅拌机。牙齿也开始恶心得要纷纷掉落。我的嘴里塞满棉花没法说话,只能用哀求的神色求她放过我。

她这才收了手,把我的肌肉放进密封塑料袋里,

又拿出注射器推了些硅胶,在我的下巴上盘旋几圈之后,针头落在了我下巴尖上。推射如同强奸,硬生生地进入了我的身体,把毫无准备的皮肤撑到了极限,我怀疑是不是稀薄成透明的一层。

大概硅胶起先被注射到下巴上是不会自己形成美好的弧度的,她的手又如小孩子玩橡皮泥一样把我的下巴捏了一气。

大功告成后,她开始取出我嘴里的酒精棉花,又左右补了两针瘦脸针。

记住每天起床时,自己把下巴往前多捏捏,这样就很翘很漂亮了。她走时依然不忘地关照我。

说完,她示范性地又捏了捏自己的下巴。

她的下巴果然弧度完好,长而前倾,侧面不做表情也是在朝男人撒娇的样子。

半个月后,我脸上的肿胀逐渐消退,面架子轮廓逐渐玲珑,人们不再看得出我的血脉基因。

和我的脸一起赎了灭了的,还有某些心甘的信仰。

每天早上醒来,我睁开眼的第一件事变成了捏自己的下巴,在紧张的时候,恐惧的时候,高潮的时候,陶醉的时候,我养成了抚摸这块软软的没有骨头的半厘米硅胶的习惯。

我大圆脸,大嘴巴,吊眼梢,淡雀斑,细眉细眼细鼻子。来自地球西边的男人怎么看我怎么漂亮。

他们都说我是世界上所剩不多的正点中国娃娃。

从此,我可以得心应手地勾引高鼻子了。

►►►► 魔王的面孔

接下来去越南的旅游团任务单之前,也就是在遇见亚历桑德的旅程之前,我的生活一如既往,没有急转弯的迹象。

　　有过情人 A、B、C、D、E、F。科威特美军基地做医生的阿拉伯男人，在纽约财富论坛的高级观察员，意大利某三流演员，来自南非的白种男人，津巴布韦的富家黑帅哥，在复旦读新闻硕士的日本男生木村淳。

　　情人，情人。都是陌生的异国情人。

　　在每一个情人的瞳孔里，我都看得到更远的远方，看见在闸北老公房里无法想象的一切。他们圈起一片古海湾封闭而成的湖，我在湖里浸泡嬉戏，希望鱼把我的血管咬断，让那个苏北渔民家族的血流尽最后一滴。

　　我只想在情人们为我构造的华美国度里生根，发芽，开出无法想象的花朵。

　　滂沱，浓丽，糯甜。

　　一切让我惊奇，一切让我沉溺，我死也要死在这个情人的国度里。

　　有时我也不知道，喜欢异国男人，究竟和他们本身有多大联系。

　　跟了一个美国男人，是喜欢他护照上对眼睛颜色的描述，如，介乎于绿、蓝与灰之间的复杂神秘，还是喜欢上他身后的整个美利坚合众国这个大背景，以及纽约的第五街上顶级的商铺。

　　跟一个法国人谈情说爱，难道不是迷恋一种有关巴黎的印象和香榭丽大街的气息吗？

　　黑人给我一种极致的本能的激动，和他走在大街上，我有一种我和他都幻化成非洲豹穿梭在丛林里的幻想。

　　阿拉伯男人在科威特的美军基地工作，他从防空洞里打电话给我，我听得见炸弹在头顶爆炸的声音，他的家人就在一旁，我承认我迷恋那种卷入战争一角的动乱感觉。那种不安与冒险和国际局势息息的牵连，也许换一个科威特男人，我也不觉得有什么不同。

　　异国情人。他们身上附带的异国情调，使我生活在一个特殊的，波希米亚情结的圈子里。

　　我在上海，可我的上海因为身边的异国情人而不再是上海。

这个上海于是不再是玉兰花香和生煎小笼的那一个，而是一个充斥着狐香味道的城市。

1．是用直板手机，还是翻盖和滑盖？只有中国人才喜欢复杂的东西，复杂设计的机型在国外都卖不出去，可能这也是为什么在中国清宫戏远比时装剧受欢迎的原因。

2．血拼是去汇金百货和六百之类的百货公司，还是 FOX TOWN、上海商城和美美恒隆。

3．作运动时，是带 1.5 升的水还是 500 毫升的纯水。

4．热不热衷于 KTV，西方人很难理解亚洲人对着荧光屏唱歌的热情。

5．是全球通手机号码，而不是中国联通。联通的国际长途只有一项功能，在中国可以接听来自国外的电话，除此之外别无他用。

6．天寒地冻也坚持穿单鞋和凉鞋，里面一件丝吊带或 T 恤，外面一件质地上好的大衣。看一个的衣橱里有没有高领棉毛衫和毛衣是判断一个人洋不洋派的根本。

7．做生意的男人是拿拎带子的手包穿皮鞋西裤，还是背名牌的双肩电脑包衬衫配牛仔，前者是没有海外背景的本土中产阶级，后者一定有海外背景。

8．去家乐福和城市超市，还是华联和联华。看看买回来的东西上有没有中文字就知道是哪个圈子里的。

9．煮咖啡还是冲咖啡。很明显的，不说也知道。

10．晚上 10 点上床睡觉，还是晚上 10 点出门。

11．只敢穿黑色紧身衣服打扮停当去泡吧，还是敢随便套装、牛仔、运动服，戴着带框眼镜都可以从容地走到吧台要一杯酒，且要懂得用眼神和周围的人交谈。这是很见混狐香圈的功力的，一般初入此圈的小女子会如前面所说，除了黑色不敢穿别的颜色，除了紧身衣还是紧身衣。混得深了，就知道随自己方便才是硬道理。

在贵都门前的天桥上深呼吸吧，从涉外五星酒店，国际写字楼，只做洋人生意的咖啡馆和酒吧里，飘出盲目的伪异国风情。

满城狐香。这就是上海。

多少中国女人迷恋这里。没出过国，脑子里对国外冲满了渴望，于是在国内遇见老外，和他们搭上关系，就仿佛不在中国了，就可以觉得自己很有情调了。虽然，她们连西班牙情调和意大利情调的区别都不知道，也将德国人和讲土腔德文的瑞士人混为一谈。

在上海的中国女人们，我们可以不承认，但这都是事实。

也是这些异国情人。情人A、B、C、D、E、F。

他们只是带我看到了另一种生活，却无法把我彻底带离那个骚臭的上海闸北区的苏北人弄堂。

他们在我的生活里短暂停留，谁也不曾动了真心要带我走。

他们这些外国人私下里都知道是怎么回事儿，原来楚楚君子，走在上海的法租界都成洒着香水的猪了。

你看看在上海的老外见到中国女人时一般问些什么：

1．你是上海本地女孩吗？

我们要是回答是，他就知道要小心，上海女孩是出了名的难缠，要负责任的，外国男人只想在中国享受"CASUAL RELATIONSHIP"，因为他们自己国家的女孩即便是西方女孩也没那么多 CASUAL RELATIONSHIP 给他们享受，也是要正正经经带出来介绍称女朋友，也是要结婚的。在中国，上海女孩因为会算计，且家里人帮着算计，所以外国人口口相传别碰上海女孩。所以这个问题，只有女孩说不是，他们才能放心来占便宜。

2．你和父母住吗？

他们问这个，因为他们知道和父母住的女孩不大方便随时上床，且中国的男女关系一旦和父母沾边就很麻烦。

3．你住在哪里？

他们要知道你的家世背景。你当他们不知道浦东、浦西；静安、闸北的区别嘛。他们知道纽约的曼哈顿与布鲁克林的区别,就能依次类推出上海的上只角与下只角。全世界都相信"YOU ARE WHERE YOU LIVE"。

4.你喜欢哪些酒吧?

他们最希望你说你喜欢 ZAPATAS、BATS、WINDOWS、BABYFACE,而不希望听到 O'MALLEYS、PAULANER 和 JZ CLUB。前面一堆不是单纯喝酒听音乐的地方,你若喜欢,就等于你认同一种性关系的态度,你去那里泡说明你只要觉得想要 SEX,就可以即时 ENJOY,且这和责任和爱情没有任何关系。老外们碰到如此"OPEN—MINDED"的中国女人最开心了。

5.你去过国外吗?

中国女人若做肯定回答,一般来上海的老外就眼珠子要多转几圈。在上海的洋人不大喜欢遇见"出过国"和"有海外背景"的中国女人,因为这样的女人不容易哄。现在不比半殖民地时期,以前在中国的不是外交官就是跨国企业的高管,现在来中国的洋人鱼龙混杂,很多都是在自己国家混得不怎么样的,是卡车司机或者餐馆里的大厨也不无可能,一大堆在上海当老师的洋人都是在本国属于失业人员的。他们凭着一张白人的脸可以哄倒很多没见过世面又一心要"洋派"的小女人,一杯香槟一顿三流西餐馆的晚餐就可"搞定"。但一个知道西方社会长什么样的中国女人即便崇洋媚外,也不会随便让洋垃圾瘪三得了便宜。

6.你是做什么工作的?

他们声称自己喜欢独立的女孩,只是因为他们要事先告诉你,别想花到他的钱,有时吃饭和咖啡也要 AA 的,或者进星巴克里自己坐下,磨磨蹭蹭等着女人去买咖啡的也有。他们一口一个 "OPEN—MINDED"和"INDEPENDENT",都是另有一层意思的。

也许我把他们说得太坏了,但不管如何,A、B、C、D、E、F 都没向我求婚。

在遇见亚历桑德之前,我已经把外国男人全都看成一个样的,成天性冲动的,没法聊任何正经东西的。后来我总结了一下,外国男人到中国来呆上三个月,才开始变得成天性冲动的,再好的白种男人在中国也变成小瘪三了。即便如此，我还是会望着他们的背影出神。

他们把我设定在这种极度与那种极度之间跳跃辗转，让我的日子心照不宣地这样跳跃着一瘸一拐过到第22年。

极度的上流，极度的下流；极度的繁华，极度的贫瘠；极度的荣耀，极度的卑贱；极度的乖顺，极度的暴动；极度的爱宠，极度的荒芜。

极度，极度，极度。

这极度生活的画面，在从金贸凯悦的钢琴酒吧转身驶向闸北破公房的路上渐渐无法掩饰，是在混迹于各种国际名流时骤然抽身接一个说苏北话的粗俗男人电话时被重新提醒，而我名贵小洋装里肚脐边、屁股蛋上被潮虫臭虫咬过的红斑同样不允许我忘却。

我有时用手机的摄像头随意对准自己。喀嚓的定格后，画面里光线均匀，而我的脸却永远一半明亮纯净，另半边沉溺在阴影里。四周没有任何遮蔽，来历不明的阴影就这样如影随形。

我总是想起来那句被印在某个封面上的句子：那些看见魔王面孔的孩子没有再回来，即便回来，也再无语。

不爱光，倒爱黑暗。

不爱神，却爱世界。

在看见魔王面孔与没看见魔王面孔之间，我渐渐失去了我的宗教，我说不出在光与黑暗之间哪一种更好。

情人们都有陌生的气味，都是外籍男人，有让我好奇的肤色与口音。他们都喜欢用香水，用纯净水刷牙，洗澡勤快（中国人的卫生习惯和西方人有某些区别，但这不是好坏的问题，只是习惯问题），都知道要用烛光晚餐和珠宝来哄女人，并且都觉得我漂亮。

中国男人一般都不觉得我漂亮。我大圆脸，细眉细眼吊眼梢，嘴唇丰盈，在第一次做导游遇见来自纽约的财富论坛高级观察员之前，我从不知道自己有朝一日可以翻身做大美女。

若没他们这些外国男人带我看见物质魔王绚丽的地界，我的生活或许就安于上海的北面，以为吃麦当劳就是上馆子，和祖母一样叫南京路为"上上海"。

那样继续着的话，也就不会挎着 MAISON MODE 手袋，蹬着 BASE LONDON 的鞋，脚下走过那样不堪入目的弄堂。

挂着红灯笼的发廊和足疗店，妓女们探出脑袋东张西望。没有遮拦的男人小便池边站着大无畏的男人们。垃圾、性病专科传单、猪食、黑心棉花、死鱼烂虾，破烂不堪的老公房的空隙里塞满大大小小的棚户阁楼。麻将桌子一张接一张，没有明天的人们东风西风，饿了一碗咸菜面或者一包盐酥鸡下肚接着干。

这个画面，说它怎么触目惊心都不过分。

一天又一天，我从那条触目惊心的弄堂里走出来，拿着旅行社的计划单去接待世界各地的高官显贵。

我接待过的 VIP 游客，现在看来确实会让狗仔队兴奋一阵。

EBAY 的女总裁梳褐色齐肩发，背双肩包，她要收购易趣网的消息我怕是两家公司之外全中国第一个知道的，而且是她亲口在机场回酒店的路上告诉我的。当然那时我只以为她是个小职员。她试探着问我，你用易趣买东西吗？我说，偶尔，倒不为别的，易趣可以用信用卡结账。有时候，你知道，除了信用卡我一无所有。

我在你这个年纪时也这样。她听后朝我挤挤眼睛。

比利时某著名媒体的总裁来出席 VOGUE 活动，我随行，在休息室里向章子怡的化妆师要了一支烟，一起抽了两口，互相打量。章正好走过来，笑容爽朗，毫不吝啬赞美。嘿，我说你这么穿挺有意思的。

她说的是，我那天在素色裙子外戴了个花条纹的比基尼胸罩。

西班牙帅哥费雷罗来参加大师杯时安排的观光，我和他一起戴着墨镜溜出去逛街。他虽笑容腼腆，温柔多情，而我心中还是不为男色所动，盘算着怎么让他买点天价的茶壶或者玉器哄女友帕翠西娅开心，结果老远就被 FANS 认出来，引起一阵狂蜂浪蝶，只好陪他亡命天涯奔一段,跳上车回酒店。

回扣没赚到,他请我喝过一杯马天尼,吻了我的大圆脸,外加隔天报纸上有我的半张脸。

他以为他特殊,但我郑重宣布,你别以为你长得帅就不付我小费,该多少就多少,休想抵赖。

为上海研发磁悬浮列车的西门子公司德方高层,我带他去丝绸厂里买了一万多块的丝绸被罩,赚了五千块回扣之后,心情绝好,于是请他看了一场波特曼里的杂技表演,反正羊毛出在羊身上。

他结束时又给了我一张一百美金做小费,大家开开心心,到死不相忘。西门子公司后来再有活动,都朝我们旅行社点名要我接待。

笑死,爽死,可口可乐。

可是,我住在城市的北面,我总是要回到那里去。

虽然我总告诉别人我住在静安寺,然后为了不露马脚总是上车往西边开一阵,再忽然对司机说,啊呀,有事先要到闸北区某某路一下。

在夜里,我的世界就不再是葡萄美酒夜光杯,也不再有天皇巨星的光芒照耀,我不再能行尸走肉地骗自己。

蟑螂爬过我的额头,老鼠们得意欢叫,满地狼藉的屋子。父亲早些年下岗,成天搓麻将,时而输了钱还不出,人家操着苏北话半夜里来叫门。

>>>> 红发女人

我们骑马回到塔克西斯庄园的时候,夕阳已经斜了不止一点点。

德国的六月初,一点夏天的迹象都没有,太阳落了山,这会儿也就十三四度的光景。多瑙河畔的榉木森林,大片青灰的树皮与油绿的手形树叶,隐在宏伟的罗马老宫殿后,成了团团不散的青绿炊烟。

侯爵把胯下一匹汉诺威马骑得越来越快,故意把我和扬·法朗索瓦甩得远点。

我好不容易让喜乐蒂矮种马温顺了点,抓紧时机腾出一只手扶了扶头上大了半寸的挡风帽,侧过头,大声对着扬·法朗索瓦喊:喂,你说我现在这样能见亚历桑德的老婆吗?

法国男人认认真真地从我的鞋尖看到头顶。

我要是他老婆我肯定什么都看不出。扬·法朗索瓦耸肩笑笑。不过我又不是他老婆,你自己好自为之吧。

我心头黯淡,表情也落了灰。

扬骑马靠过来。

克拉拉,会没事的,别担心。语气也轻柔,伸出手,在我的脸上拍拍。

我耷拉着眼角,心情一点都好不起来。

土耳其侍卫把我从马上抱下来,我有点心虚地站在原地,刚才在森林小屋里的眷眷缠绵不知是不是在我的脸颊上还残留着一抹桃红。门内的大客厅里,亚历桑德正在和一个女人说话。我的心里,忽然就七七八八的,像是被几千条舌头微微舔着一样。

这就是那个早早在照片里见过的红发女人了,他 35 岁出席多哈中东北非经济首脑会议时,站在他身边的女人。他妻子苏珊娜。

她像是刚刚睡了个午觉,这会儿穿着乳黄色的天鹅绒裙子,懒洋洋地坐在椅子上,刚才帮我系马靴上鞋带的女佣,正仔细地系着她皮鞋上的鞋带。

扬·法朗索瓦告诉过我,这个女佣是庄园里专门负责给塔克西斯家族成员和贵宾系鞋带的,别的什么事情也不用干。因为她系得鞋带漂亮考究并且从不松动,这样可以保证主人不会在重要场合出丑。更值得一说的是,她以前是给珍妮佛·洛佩茨系鞋带的,被苏珊娜在花边新闻里看到,就特地派扬·法朗索瓦去好莱坞挖墙脚挖到了德国雷根斯堡。薪水惊人,可见行行出状元当真不假。

红发女人即便已经 40 岁了,依然雍容美丽,蓝眼睛包在长长的金色睫毛中央,眉毛细而高挑,唇红若樱,额头与眼角的细纹让她看上去更加生动饱满,身材微胖,正合了身份上的显贵。

这样一个从一开始就被亚历桑德明明白白向我提起的女人,有时出现在他合影的照片里,有时在我们泡在浴缸里时忽然打手机来找她的丈夫,我在水里保持不动让人家夫妻好好聊。

那时我并不觉得什么,我甚至可以顽皮地向亚历桑德挠痒,让他一面极力对着手机保持平静,一面龇牙咧嘴地朝我做讨饶的表情。

苏珊娜仿佛是远在天边的一个女人,记录在一场神话里,和我没有任何关系。有她没她,我都已经从上海的北面搬到了西面,都吃好的用好的玩好的;有她没她,亚历桑德对我都是深情而宠爱的。所以,我几乎都不觉得情人与夫人之间最本质的那条线。

只是见不得。

今天这一见,忽然我就摆不平自己了。我怎么开始想到了小老婆这样的词儿来,一声又一声,叫得我想捂耳朵。

克拉拉,你以为你是谁,你只是个小老婆而已。你知道什么样的女人才肯做别人小老婆吗?

在见到他的妻子之后,我受过的那些教育慢慢复苏了,很多年以后我开始发现自己其实还是在乎的,在乎每个女人都在乎的那个名分,那点自尊。我没有什么不同,曾经的贫穷与卑微让我对物质有种疯狂的追逐。

但那个名分,那个名分是种本能,我以为自己丢弃了,其实只是回锅肉,热一下又可以装盘子了。

有榉木树叶 LOGO 的私家飞机起飞开始,我还是个欣喜若狂的小金宝。

逐渐清晰的欧洲大陆，迷你厨房里法国大厨的鲑鱼千层派，侯爵家族代代相传的森林与庄园。

物质确实可以让人销魂一时。

在中国大陆注册公司的所有材料都已准备齐全，正等着审批。工商税务之类，亚历桑德在上海有个颇有分量的朋友徐增凯应付，于是他趁空档带我回德国呆几天，主要让我在林场里学学原木测量的相关知识，也要到他的工厂里熟悉一下塔克西斯家族的榉木板材有何过人之处。

扬•法朗索瓦一向十八般武艺样样精通，他不仅教会我诸如配口味较浓的法国料理时，点 ESPRESSO 要比点红酒更高雅之类的淑女守则，进入工厂，他还要开着小搬运车告诉我干燥窑和汽蒸窑的区别，以及在一块木板上树心部分与红心部分的区别。

而且这种小搬运车只能让一个人坐，扬戴着一付奶白色框大墨镜在开车，我就只好拉着把手，身体悬在车外，脚站在踏脚的横梁上，样子像是拍警匪片里高难度镜头。

轰隆隆的器械噪音，夹杂着木屑的风，粗犷的空气。

木材厂清一色的德国乡下男人，除我之外没有半个女人的影子，于是德国男人们的目光从轰隆隆的机床后面，从高处的测量室里投射到我这个站在车梁上的东方女人身上。在机器的噪音掩也掩不住的窃窃私语里，仔细听，总是能分辨得出那句德国南部口音的"Schoenen Frau"(漂亮女人)。

有人吹了个嘹亮的口哨。

我毫不扭捏地从搬运车上腾出一只手，朝车间里的工人们挥手。

世界末日时最后一个漂亮女人，空气里就是这种不协调的性感。

为了这个，我开始爱上木头，爱木头味道，爱木头蝴蝶翅膀般的花纹，爱原木皮上爬着的各种虫子，爱发霉的苔藓。

侯爵的工厂规模宏大，我们的小搬运车要开 20 分钟才从车间开到接近森林的汽干区。所谓汽干就是板材按厚度不同整齐地罗列好，在放

入干燥窑之前,必须在自然空气状态下放上相应长的时间,以保证干燥后的颜色达到客户要求。汽干时间的长短关系到最后板材颜色是偏白还是偏红。非常有意思的木材专业知识。

可我更希望亚历桑德亲自来告诉我这些。

这是他的国家,他的领地,而从飞机降落开始,侯爵变得威严不可接近。

他终于向我证明,在欧洲,他是个有头有脸的人物,需要冠冕堂皇地生活。

他总是前呼后拥地出现,在他的轿车开过广场的一刻,很多路人停下来,目光被他的车子拉得那么远那么长。

他让我住在扬·法朗索瓦的乡间城堡里。虽然其实这也是侯爵的地产,扬破产后一直住着,但毕竟不是塔克西斯庄园里的宫殿。可见侯爵是多么处心积虑地要把我掖着藏着,用中国 60 年代兴出来的词,就是坚决和我划清界限。

古堡坐落在半山腰,能鸟瞰整个雷根斯堡,更衣室里有满满一屋子的衣服首饰,另辟了一间专门摆了各式鞋子;女佣统统会讲中文,泰式马杀鸡的功夫也地道得没话说;餐厅金碧辉煌,在长桌的尽头,有个小舞台,每次用餐的时候都安排了不同的乐队表演。

我和法国男人起先坐在长桌子最远的两头,看着碟子盘子叉子刀子不停地撤上撤下,说话都有回声,终于狂笑不止趴倒在酒杯旁边。就两个人而已,干吗弄得跟真的似的。

你过来还是我过去?

我们索性挪到一起,像吃麦当劳一样肩并肩坐着,我拉过他的手,搂在我的腰上,依偎着观赏小舞台上的表演。

德国女人用德文唱出的爵士。

Allein,wenig in die Nacht.

爆破响亮的声音,侵略性而生硬的德文发音,却唱着一个女人,独自在夜里的忧伤。

奶油蜗牛端上来，扬·法朗索瓦正要示范怎么使用一个专用夹子夹住蜗牛肉，再一面旋转一面拉出。那个讲究劲儿啊，差点把我吓着。

　　我用手随便抓起一个，挑衅地拿着在他面前晃了晃，告诉你个更快更好的吃法，亲爱的。

　　我用小拇指把蜗牛肉朝壳子里压了压，再拿了根牙签，一挑，整副蜗牛肉就干净利落地被挑了出来。

　　嘿，这是哪个流派的吃法？美食家扬·法朗索瓦看得目瞪口呆。

　　我只管把肉放进嘴里，香嫩美味。至于上海的弄堂里，男女老少都会的吃田螺招数，用在昂贵的法式蜗牛身上分毫不差，这点还是不告诉骄傲的法国人为好。我总觉得田螺和蜗牛是有血缘关系的。

　　等我以同样的方法吃掉四只蜗牛的时候，扬终于放下了蜗牛夹，学着我的样子去摸了根牙签。

　　看得出来，你和亚历桑德交情不薄。我拿起餐巾揩揩嘴角，吃饱了，仰头靠在椅子上，餐厅顶棚上的葡萄形状的水晶大吊灯立刻占据了我视线的一大半。其实我该知足长乐，你看水晶的光芒如此平静纯美。

　　可是我不甘心。

　　父亲雷诺·法朗索瓦以前是塔克西斯庄园的大管家，老侯爵一直忙于生意和应酬，所以亚历桑德几乎是跟着我父亲长大的。

　　怪不得！我和他在森林小屋里，你也肯整个下午为我们把风。我毫不掩饰地揶揄他。

　　法国男人抬眼看看我，不置可否地喝了口酒。

　　克拉拉，你要我说什么好呢？你看我可以这样抱着你，可我一点都不会想更多。

　　少来这种装腔作势的话。扬，我很好奇你还记不记得，那天在上海，我用信用卡帮你买了单，你给了我5000块现金之后，我们在一起调情时说了点什么，当然咯，我起码记得我喝的是焦糖玛琪朵，双份覆盆子糖浆。

克拉拉。他声音低下来,为难地唤了声我的名字就再也不说话了。只是勾起食指,用指关节敲击着桌面。

呀哈！他最终选了一个可以做开场白也可以做结束语的口头禅。

呀—哈！我学着他的声调,拉长了中间的停顿。

有些事情只剩一阵遥远的足音,说也不必。庄生梦蝶,你我虚虚实实这一场。

在森林深处,扬·法朗索瓦先把我的喜乐蒂矮马绑好,又单腿跪地,让我踩着他的膝盖上了侯爵的汉诺威。

他自己就留在原地,挑了个优雅的姿势斜靠在树上,目送我和亚历桑德远去。

再往寂静的中央奔驰一段,偶尔出没的小野鹿露了两只尖耳朵在树干与树干之间跑动,白鸟呼啦啦地飞来又去,把碧绿的林子上空点缀得无比新鲜。我紧紧搂着亚历桑德,越过他的肩膀看着周围陌生的一切。一切回报我以安寂。

克拉拉,你看那边,看到吗？

我越过他的肩膀,惊奇地发现一间小木屋。我尖叫如歌剧女声唱起阿依达。

那一间超乎想象力的小木屋,如果可以,我愿意是一颗上幼儿园的小女孩的头,装满粉红色与金黄色的想象。

我自己搭的,在大树冠上。你看见过这样悬在树上的小木屋么？

你反正知道我是穷人家出来的, 我没见过的东西多着呢。怎么说呢,你真的……是经常在里面练拉丁文圣经,还是专门把女人带来做爱呢？

可惜你猜的都不对。我喜欢在这里午睡,这是我惟一睡得踏实的地方,可以忘了美金,忘了生意,忘了可恶的勾心斗角,还有家族里各种复杂的关系,睡到像根木头。

认识你到现在,其实从没看见你睡的香过。而且你经常说梦话。

哦？我在喊圣母玛丽亚吗？？

忘了。反正总算梦话是用德文说的，不是拉丁文。可见你要当神父的决心并不大。

拴了马，爬着一副小楼梯上去。小木屋的门吱呀一开，一股稻草和阳光的气息扑面而来。我们把鞋子一脱，欢天喜地扑倒在厚厚的稻草垫子上，干草的碎屑子呼地被扑腾起来，又慢慢在空气里下落。

可是我却大叫一声，额头撞在什么硬东西上，撞得疼死了。所幸耍赖，嘟起嘴来，做欲哭无泪状。

ALEX一转过头看到我的额头红了一块，马上又翻了半圈，正好半个身子压着我，吻上我额上的红。

另一手从我的额头上方的稻草下摸索着，最后竟摸出一支金黄标签的香槟来。

嘿，克拉拉，你的额骨头太高了，撞上了我的顶级香槟贵妇。你要知道这种要用六年时间来陈化的意大利香槟，瓶身和标签是请GUCCI的设计师来设计的，我都忘了我什么时候藏了这个在稻草下面的。

他又亲了一下我的眼睛，又一路亲吻下去，舔上我胸口的朱砂痣。

我刚闭上眼睛，他却停下来，坐起身，撕开了瓶头锡箔纸的封套。克拉拉，我们该先喝点这个。

慢着。我止住他正在转动软木塞上铁丝网的手。香槟是正式场合用来庆祝的，你我之间还是算了吧。你要庆祝什么？

克拉拉？

你瞧，冯·土恩温特塔克西斯侯爵。我不会有正式身份，我只是克拉拉小姐，难道你要庆祝一下，你的情人今晚终于要和你的夫人一起共进晚餐了吗？

▶▶▶▶ 一破为二的滩

　　小飞机飞得异常平稳,机翼上有金边的绿色榉木树叶 LOGO,随意朝窗外看去总能看到这样的一角。

　　地面像去时一样,幻灯一样转换着热带从林,灰褐色的浩瀚沙漠,幽蓝海洋。再一阵湖水与陆地的交界之后。

　　又回到这里了,上海的银灰色城邦逐渐清晰。

　　我坐在长沙发里静静看着三万英尺以下的奇妙世界,它如此变幻莫测,就像我的命运一样充满着深不可测的玄机。

　　命随相变,相由心生。在云朵之上,我仿佛又听见瞎子裁缝的声音,在我去做整形手术之前的那个晚上。

　　我大圆脸,吊眼梢,细眉细眼细鼻子。

　　我现在。

　　在雷根斯堡,和亚历桑德的妻子讲上海,讲上海穷凶恶极似的铺张与繁华,讲不停开张的新鲜游乐场,讲我那些有巨型充气玩偶和冷焰火的派对,直讲到她要速速搬到上海和我同居。

　　我也教塔克西斯家族的小孩子"两只老虎"的中文版。

　　老塔克西斯侯爵默不作声地在一旁喝酒,后来也跟着能唱出一句。

　　两只老虎,两只老虎,跑得快呀,跑得快。

　　我也想跑得快,跑到可以看不到他的妻子孩子的地方。

　　可我不是老虎。

　　飞机飞在上海的上空,可以清晰看见一条森森细细的黄线把这个深青的滩涂一破为二。

这个城市于是终年无法摆脱龟裂与不安的情绪。

所有的努力都在让这个灰色的巨大洞穴愈合深处的一道伤。桥梁。隧道。渡轮。如此脆弱的联系，某一刻，逃不了一场溃败。每次车子堵在延安路隧道里，我的脑海里只有一个景象，反复出现，栩栩如生，隧道崩塌，江水醍醐灌下来，所有的车辆与人们顷刻被埋没。我心中的海啸总是发生在这条隧道中央。

以前延安路也是一条河，弯弯曲曲的，叫做洋泾浜，直到被填平了，定为租界与租界间的边界。洋泾浜的南面，电压110伏，越过它，要换车，要再买一张车票，然后电压成了220伏。曾经电压110伏的法租界，就算现在电压统一成了220伏，但依然是充斥着法式餐厅与法国香水女装的地方，这些和巴黎有关的味道再过多少年也淡不了。

香港版的《号外》杂志里，专栏作家KCW在新建成的文华东方LOB-BYBAR里和朋友喝下午茶，用粤语聊天，结果服务生死命地说英文，不掺半个粤语词。之后此作家写文讨伐时马上说，"让人想起租界时期的上海"。

昭然若揭，一切就是和半租界的历史有关的。

上海，上海。

上海人为什么以小市民习气著称，上海的小女人为什么以自己是上海人为荣，说起来嗲得毋得了：哎一哟——，啥宁戚关心个种事体啊，困觉还没辰光来。

这样的小情调小习气是和过去有关系的，彼时乱世，得过且过，人是随着大局势捣糨糊度日的。

殖民时期的小市民没有资格谈政治，也没有力量改变大环境，所以那个时候的人只管过好自己的小日子就好了，保全自己最重要。

后来，这个城市习惯了顺着大环境过好小日子。人们被洗了脑子，忘了本，对狐香洋人圈的东西孝忠不二。

上海滩上的男男女女就成了现在这个样子。

在这个 19 世纪中期首批辟为商埠的中国城镇之一,洋人们从踏上外滩的第一步开始,仿佛天然高出一头。

包括他们带来的全套硬、软件:洋楼、洋行、洋装、洋噱头、洋式消遣,以及让非租界人艳羡的富庶与安全,当然还有推动了中国近、现代化的洋规矩和洋式思维。所有这全套的"洋"都要有当地人档次不等的服务,到后来,进入 20 世纪之末,当地人可以自立门户,全套经营,上海人无以逃遁地浸润在这仰视、平视、俯视;驯顺、利用、欺诈的复杂环境中。

150 年过去,当人口在这繁华旖旎的大都从数万增长到上千万时,那精明乖巧、趋利避害、小天地里得享乐尽享乐的殖民地性格,在并非全面殖民地的上海,已从勉为其难变为顺应、变为习惯、变为性情、变为遗传基因。

狐香城,狐香城。

这个城市的女子身置于此,懵懂而自得其乐,全在这个隐隐狐香的圈子里。

洋人浓烈的古龙水,古怪而陌生的笑容,他们的语言,他们的欲望,他们的简单、孩子气与残酷。在温暖的蓝调与红酒流溢的酒杯里,在他们烫得笔挺的包括内衣在内的每一件衣服里,在他们时而无辜的如树碧绿的眼睛里,多少中国女子不能自已地沉寂。

她们梦想着来自西方的金发少年一朝娶她们为妻,从此飞到地球的那一边,有了大房子大院子小车子小乐子。即便没有美少年,秃顶大肚肥胖粗鲁的糟老头子也行,只要他们钱包还鼓着。

洋派已经成了骨子里的基因,顺着历史编年一茬又一茬。

有海外背景的中国女人,全都心照不宣地穿改良旗袍或珠光衣服,齐刷刷的童花头,酒红唇膏。中国女人要冲出亚洲走向世界的征程和中国男足一样尴尬不已,她们不可能素净,她们只能用浓艳做武器,靳羽西就是个标准范本。再看巩俐的民族装和章子怡的肚兜,除却这些中国元素,中国女人在西方社会就站不住脚跟了。

下意识里，中国女人自己对自己的国际地位向来是不自信的。

殖民地时期是结束了。

但洋人在她们心里还是和19世纪踏上上海滩时一个样的。

连中国人自己说起来，也永远是"吊老外"，或者"勾老外"，说成"牵个老外"就别扭了。但要是说成"老外牵着个中国女人"，那就又顺耳了不是。

说上海滩上的洋人没一个好东西，本质上，也许我们自己也没把自己往好东西里归。

在某一段时间里，我持续着一个习惯。

那里是香港广场的底楼，有一个香港汇丰银行的办事处，只巴掌大的地方，因为全为外币卡服务，所以里面提款的几乎全是鬼佬，时间长了，这巴掌大的地方就充斥着洋人聚集的地方特有的那种狐香气味，我在每次深夜经过的时候，都要站在里面，尽情深呼吸。

那种味道，我用天鹅引颈时的姿势，慢慢吸进胸腔，直起脖子。

啊，我的瘾。

终于有一次，有一个三十多岁的女人也走了进来，和我一样靠在玻璃门上，只是闭着眼睛，闻闻那种味道。

这些鬼佬们，顶是自私冷漠了。不确定她是不是在对我说话，因为她的视线只是盯着面前的取款机。

她和我一样剪着童花刘海，坚持黑而直的长发，对本地圈子里七七八八的可笑时髦毫不关心。

我们彼此心知肚明。

我们都对洋人有特殊癖好。

随便这些人让我们多失望，滚圆的脑瓜子里有多么奇怪的逻辑。

但我们依然吸食着他们身上残留的味道，并对那种白得透明的脸，毫无招架之力。

>>>>> 春宫图

安亭路上的老洋房原本是没有电梯的，为了能租个好价钱就装上个迷你小电梯，又因为还留了些空，就沿着电梯修了一圈旋梯。旋梯非常窄，只够中等身材的一个人走的，老房子采光又相当差，进门的斑驳走廊里堆满破旧的自行车，居民把垃圾袋堆在邮箱下面，空气里有陈旧霉烂的停尸房味道。走上逼仄的旋梯时，空间总像要闭合了把人像蚂蚁一样挤死在里面一样，又有种恐怖片里恶灵下一秒就要蹦出来的阴险。

马特的品位至此可见独特。

他不像上海滩上大多数老外那样要么住在古北一代的涉外花园社区里，要么索性到乡下住别墅，除了在棉花俱乐部唱爵士，也并不乐衷大大小小的酒吧。

他渐渐显露出对一些混乱复杂甚或腐败的东西的偏好。

他包下了这座六层老洋房的最顶楼，内部格局非常奇特，起居室连着书房，书房通向卧房，卧房里有独立的卫生间和浴室，而从浴室又有门通向厨房，到了厨房就回到了大门边上，并且正对着一间整面墙都是透明玻璃的迷你健身室，健身室外有一个宽敞的大露台，由露台可以折回卧室，并且当中从卧房也有门直接走到起居室的。

也就是说，整个格局像个圆环，环环相通，又各成单元，十分精妙。

他摇着自己的大折扇引我入卧室。

我上下左右打量着，也不知是哪里有不对劲的地方，浑身立刻不舒服起来。

先是熟铁锻造的香炉上，细看发现是一些面目狰狞的佛像，但佛像又不是庙里的佛像,是藏教里的欢喜佛。香炉里燃烧的香料散发出刺鼻而令人心浮气躁的味道。一抬头,发现两只欧洲常见的充气娃娃悬吊在屋顶,但显然又不是寻常找得到的金发女郎,而是黑发,童花头,都被穿上了肚兜,身上被粗重的麻绳子五花大绑着。

墙上都是用紫色粗胶框起来的古代春宫图,那些大胆而新奇的姿势,传递出某种诱人而残忍的美感,但仿佛只是仿着古代的摹描方式画出来的,把纸面洇成旧色。

我就知道马特时时的温存得体不是真相。看了他的卧室让我对自己的直觉更加深信不疑。

不然,和男人们惯常血肉纠缠我,怎么可能有个君子之交的男人,并且这个男人构造齐全又不是同性恋。

不上床,也从不猜测他的手机里有多少女人的手机号码,在 SKYPE 上看他在线也没有任何打招呼的想法。随便什么大布衫都能一套就去和他喝咖啡,一副方框眼镜也不摘,一个博物馆女学究般去赴他的约。

他总是无限感慨地讲起我第一次见他那天的打扮,桃红雪纺背心和开襟麻衫,七分修身裤,无跟金色小尖头羊皮鞋,颧骨下扫了两道锐红。明明一个精致的璧人,现在却每每垃圾瘪三地来,明摆着不把他当男人似的。

他该知道的。

那时我是骗人不眨眼的导游,依着旅行社的接待计划单去见他,为的是把他的钱榨出来进我腰包。胭脂和衣衫都是可换算成钱的,当然有动力。何况,连西班牙帅哥费雷罗都没让我动摇过榨钱的决心。

现在我一不想勾他结婚当终身饭票,二不需要赚他的钱,三对和他上床没有兴趣,那我还有什么必要把他当个宝。

留着他,吃吃饭喝喝茶跳舞拌嘴都有人陪,无非是我对狐香洋人圈的虚荣。

趁着青春正鲜嫩,没有男人垂涎岂不可耻,要自己处处埋单更是可悲,所以,要懂得和每一个追求者保持好朋友关系,再慢慢见机行事,这是做女人很实用的一门手艺。

一个在大公司里做市场经理的女人曾经对我说，把开拓市场的知识挪用在经营自己身边的男人资源上，这一辈子总不会差到哪里去。

当然，同样是和没兴趣的男人一起吃饭，和老外在一起会让我感觉好一点，这是一个圈子问题，我知道这样的想法可笑而肤浅，但，上海原本就是个可笑而肤浅的城市。

身边是个洋人，在上海走到哪里都有人嫉妒有人巴结的。举个例子，巴西烤肉店里，饭后有洋人的桌子会得到一杯纯正 ESSPRESO，而中国人却没有这种待遇。投诉也没用，人家店经理说，这是习惯问题，中国人没有饭后喝咖啡的习惯。但我们大家都知道，这到底是什么问题。

话说回来吊老外也分吊个三六九等的，是给白种西方男人搂着，还是勾个印度男人阿拉伯男人，亦或和小日本点头哈腰调笑，自是微妙不同。这是混迹于这个圈子里的女子之间心照不宣的。

这个圈子，呵呵，冷暖自知。

实话实说我至今没和马特上床的原因是他的面相，我对风水面相迷信不已。

命随相变，相由心生。我自己就是绝好的印证。

他的脸长得出奇，细成一条，光下巴就有一寸多，尖得可以戳死人。鼻子是鹰勾鼻，突出的一块虽不明显，但总是被划入鹰钩鼻的一种的。大概是因为谢顶，所以索性剃了个大光头。他自己显然对相貌上的缺陷也心中有数的，所以常用圆领 T 恤和衬衫领子处的小花样转移了旁人对他下巴的视线，一般人眼里依然是仪表堂堂的西方绅士。

但我的眼睛总是剔出表象看本质，比如我看女人漂亮不漂亮，肯定先要把她想象成尼姑，脸上的眼影睫毛膏统统除掉，这时如果她还能动人明媚，我就承认她是美女一名。看男人，鼻子和脸型和屁股是不是紧才最重要，穿得一身堂皇，名表名鞋，而屁股上的肉松垮垮的男人，说到底是没有贵族命的，充其量一个暴发户，还长久不了。

马特的面相，如果对相术稍有研究，拿这鼻子就说明他不可能真对什么人温存体贴的，即便表象如此，也仅仅是表象而已。且脸长且细成一条的，内心狭隘，甚至阴险残忍也不无可能。

我对乾坤八卦，风水皇历之类一向计较，即便马特待我十二分的好也无法改变我对他的界限。

和他的关系属于再忙也会每个月抽空一起吃顿晚饭的那种。地方都是他挑的，因为他对上海比我熟。

哪里开了新馆子，哪儿淘便宜货。那种熟门熟路来自一个洋人已经超越了滑稽的程度，有时候让人有点怕。

他不止说得一口流利中文那么简单，且中文是滴溜溜的京片子，张口闭口"你丫……"的。你要是没见过他的人而只是接了一个他的电话，那你肯定打死也不相信电话那边是个地道鬼佬。

不止这些，服务生来倒茶他照例要把食指中指点在桌面上弯一下表示够了，别提多老举，末了还要问你：知道这弯指头怎么回事吗？

当然，我不知道。

他则得意洋洋地啧啧着嘴巴：话说乾隆年间呢……

你听着吧，自己老祖宗的故事，倒让这么个狐臊多毛的西方人给摸透了，这么个平时没人注意的小动作，他倒要刨根问底到古时见了皇帝要下跪这一茬上，而你才明白这弯弯手指就是在说"平身"。

真是没面子。

最最没治的是他每每拿得到政府的大采购项目，深谙和国内政界打交道的窍门，所以，他是极少数喝得了二锅头和茅台的老外之一，并且，他会用河南话划拳，有时候地道的河南人都赢不了他呢。

他不无得意地向我展示了他的卧室，叉着手站在一张古董大木床前，床上的枕头是古代的石枕，包着蓝印花布，怎么看都是生硬冰冷的，在这样的床上睡下去，怕是人也要变得铁石心肠了。他的灰眼睛在看着我的时候，忽然闪过一道荧荧蓝光，和他的大光头一起前后呼应的亮了一下，仿佛在房间里点燃了一簇隐秘的火苗。我顿时心头有种隐隐不祥。

　　我的预感从不是空穴来风的，就像16岁那年从圣若兰女校匆匆出来，没有任何征兆，我一反常态一下课就冲出教室。那是某种用低于仪器测得出的范围但却一定存在的声音，让我，快点，快。

　　然后等在校门口的出版社编辑关就逮住了我。她骨瘦如柴，却目光锐利，眼睛像老鹰一样矍铄地上下在我身上一扫，单刀直入：我是H出版社的编辑，正在物色一个女校的学生出书，你也知道现在《花季·雨季》卖得很火。你喜不喜欢写作？

　　第一，我是圣若兰女校文学社社长。第二，我知道出名要趁早是绝对真理。但我压住了话头故作冷淡地说：有钱赚么。

　　嘿！算你狠。郁秀现在赚得钱够去美国念书了。你要是两个月里能写出十三万字来，随便写成什么样我都帮你出。钱不是问题。

　　于是命运就是罗纳尔多在球门前的一个急停，再一转，射门，球进了。

　　在北方城市的中央书城签名售书，和我排上下场的是中央电视台的某名主持，捧我场的中学生和家长甚至比她的中年观众多得多。

　　关说，等等，再等等才下去出场。做明星就要学会迟到和耍大牌，这社会就是这样，人善要被人欺的。

　　16岁，你忽然看见了苏北弄堂以外的东西。

　　看见为你焦急等待的人群，在你出现的一刻骤然沸腾；你在无聊的政治课上练了又练的签名终于有了用武之地，在两小时内你不停地为李桃桃的桃粉们签名、合影，你的报道和照片出现在报纸上；有了一笔数目对于一个中学生来说不小的稿费，可以每天中午在女校后门的法式咖啡馆吃饭而不是去有一百多年历史的老食堂和蟑螂为伍，可以打的去影城看电影，去电台做直播嘉宾；开始成为闸北区考进女校里的惟一有小特权的女学生，以前只有直升班里高官厚禄家的千金小姐有这样的特权，而闸北区考进女校的学生一直被某种大家心知肚明的"工人阶级"与"苏北裔无产者"的阴影笼罩着，而你，从此可以违反校规穿吊带的裙子和高跟鞋，与全校最英俊的数学男老师暧昧调情，甚至迟到不交作业也没有老师批评。你的小明星光环让一切都变了。

而生命给你一些，不给一些，才是那张物质魔王忽明忽暗的脸。

抽惯万宝路的人就没法再转头去抽中南海，习惯吃五星酒店的自助早餐就没法再去坐豆浆油条摊子，一直打车的人就算兜里只有 20 块钱也情愿全交给司机大佬，而不是花两元去坐公车，吃一碗三块钱的菜肉大馄饨，再把剩下的 15 元藏在口袋里。

你忘了，其实身后一片荒芜，你的家在闸北区一条龌龊下流的苏北弄堂里，只有一个苏北祖母和一个下岗的父亲。你有的只是一笔稿费，挥霍完了，灰姑娘的 12 点钟就来了。水晶鞋和四轮马车转眼即空。

要慢慢地，不着痕迹地，在你发现自己快溺死在夜光杯的琼浆里的那一刻，才明白自己已经在魔王的领地深处。

乳房发育好了，身体不再长了，所有的生长都疯狂地聚拢在细胞质的液体里，也许也不是这里，在身体里还没解剖学记载的地方，要上流，上流，上而又上。

然后你开始邂逅情人 A、B、C、D、E、F。在他们的世界里，你看到一些忽明忽暗的，远离那条弄堂的幽光。

幽光现在闪在马特的眼睛里，我环视着他贴满春宫图的房间 ，不知为什么，不详的预感像是塞住了的抽水马桶，堵在那里，冲也冲不掉。

别人恐怕还不知道，马特生意做得比圈子里的任何人都轻巧，纯粹是把买家卖家两头一牵，等在家里两边拿佣金的投机商。他对中国官场的深入浅出使他每每对政府大的采购项目都有染指。甚至靠了千丝万缕的关系染指香港迪斯尼乐园的建筑项目。他那么溜的京片子，不是喝酒撒欢儿应酬练出来的么。

他才不需要什么正儿八经的办公室，在公寓的书房里发发 EMAIL，把官场上的人往 KTV 里带带，美女美酒地伺候就行了。

关于 2008 年奥运会场馆建设的项目，如果他真的插手，那么关键地点也因此落在了这间书房里。

那天在海防的宴会上，我看似随口说到奥运会，其实我直觉这是欧洲硬木打开中国市场最好的机会。

我早早盘算着，手上马特这张牌到底该怎么出。

有时，有人追求就是资本积累，除了可以省饭钱，咖啡酒水钱，得到昂贵的礼物（如果是香水、手包、衣服鞋子，那还可以用来降低和别的男人约会的成本），当然还可以锻炼自己的社交与公关能力，最最重要，要做得有艺术，让他甘心情愿地为你做事。

男同学追求你，可以让他帮忙写作业，替你在上大课时签到，当然还会给学校里的重要信息及时通风报信；社会上混，随便追你的是哪行哪业，哪怕是酒吧的酒保，餐厅的大厨，如果你意识到都可以开发利用的，那么女人的资本就在迅速滚雪球。

我打赌马特是不会错过奥运会这块肉的。

我离开了贴满春宫图和充气娃娃的卧室，心里暗自思量。如果只是来和他吃一顿烛光晚餐，根本没机会进入他的书房并找到什么线索。因为木材生意不是聊家常就能聊到的，我若硬谈起来，反倒打草惊蛇。

要么我拿什么来交换？

我眼珠子左右一晃，杂念丛生。

》》》》 别墅里的沙滩蟹

我们沾着雷根斯堡泥土的脚，刚刚嘀嗒两下落在上海的血色黄昏里。

我迫不及待地抽出德国的 SIM 卡，换上中国移动，秘书台传来噼里啪啦一阵短消息，像北方凛冽的一阵冰雹打在窗户上。就是这样，上海，总有一些潜藏已久的激情等着跳出来，伺机打一场群架。

很多很多的短消息，填满了50条的极限，有光头马特在棉花吧里爵士演出的邀请，有W大学秦老师要我回去拿复习提纲的提醒，还有就是季嫒的，再后面的信息空间满了被拒绝接收，成了死无对证的一些迷。

季嫒的句子，每一条是黑雨过后的一个小水洼，断裂的，随时被阳光蒸发的，也许她自己都不知道她想说什么。

比如。每天在3度空间里等生意的肥硕俄罗斯妓女，今晚被一个瘦小的非洲男人带走了。又说，卡地亚新一季的金钱豹戒指有一款黄金一款白金，黄金款的眼睛是绿宝石，白金款的眼睛是蓝宝石。

没有疑问，也没有感叹句，她只是陈述着。我们在移动电信网络里，像是一个案件在开庭审理。

陈述，不给倾诉任何余地，她倔强地不和我说起她自己。

我看见她时，她却趾高气扬。

和扬·法朗索瓦慢慢穿过银行家俱乐部的大堂回房间，最后的夕阳从大厅中央的泰国柚木旋梯漏下来，一排隆重的红沙发后，是我熟悉的那些楼宇和霓虹。

去了德国，离开了德国，那个姓塔克西斯的德国银行家女儿再也不是远在天边的一个影子。我曾经被这高高在上的银行家俱乐部腻住了心，根本不在意别人叫我克拉拉小姐，而不是塔克西斯夫人。

可是，现在不行了，我又不能平衡自己了。

克拉拉小姐。

前台小姐笑容甜美地叫住我，恭敬地递上金边请柬一封。

我眉头一皱，忽然被戳中了心事。我忍不住地声音上了八度，瞪圆了眼睛：

什么克拉拉小姐！塔克西斯夫人！以后叫我塔克西斯夫人！听到没有？

前台吓愣了。

扬·法朗索瓦过来搂过我的肩,把我的头捂倒在他的肩膀上。

他的肩膀这时像是一条河流,浅浅地浸过我的脖子,在阳光下晒了一个下午,有一杯热牛奶的热气。

揉揉我的耳朵。我心不在焉地轻声说,我的胸口还在刚才的激动里起伏不停。

其实我最喜欢男人揉我的耳朵,或搓搓耳廓,或捏捏耳垂,我的耳朵最能让我温柔甜美。

揉揉我的耳朵。我再一次请求。

他照做。拇指和食指夹上我的耳垂。

渐渐地,我圆睁的眼睛缓和下来,成了惯常的细眉细眼吊眼梢。

看看是什么请柬?他转移我的注意力。

一个意大利亚平宁海滩的夏日,一杯插得花枝招展的鸡尾酒中,看得见一条挤成 V 形乳沟的倒影。

金黄色的阳光,沙滩和半裸体,棕榈绿得出了油,男人们优美的肌肉,女人们淡化成一排五颜六色的比基尼和起伏不定的翘屁股。

翻过来。时间,地点,主题,着装要求。

想着曹操,曹操到。一个模拟沙滩派对邀请,来自我亲爱的小冤家季媛。她现在拥有了一座郊外别墅,当然要显摆一下。

扬·法朗索瓦探过半个脑袋来。

我马上似笑非笑地合上请柬。

我的嘴唇没张开解释,他就已经知道了是和谁有关的了。我从没问过他,和季媛究竟是怎样的瓜葛,但我现在越来越确定,他破产的事,多少和我的小冤家有关。

虽然我的蓝颜知己不舒服,但我到现在才开始庆幸我的生活里,还有这个同校同级的女生。和我较劲,和我比试,和我鸡鸡狗狗缠缠绵绵。

即便我不堪，还有她陪着一起，多好，我们彼此彼此都是狐假虎威的小老婆。

我不知道她时而深夜打电话来和我聊，时而发一条没头没尾的SMS来，是否寂寞，虽然见面时各自生龙活虎。

而我自己是日渐一日地没了玩伴。

年少的声音还近在咫尺，这样近，贴着苏北弄堂的老虎窗穿梭不停，无知就无痛，怎样一段打了麻醉药的美好时光。

我们那些讲苏北方言的玩伴，在充斥着阴沟气味和刷马桶声音的空地上奔跑玩耍，棚户区里恣意垒建的私房，墙角有一片片青苔。我们喜欢尝试房子与房子之间纤细的甬道，吸着肚子从当中挤过去，欢呼雀跃。是第六条回家的路？总是有些新的东西被我们发掘。

小时候一定是不懂贫贱富贵的分别的，就像吃不出夹生饭，也不懂海鲜比红烧肉高档自哪里。

觉得住公房的小朋友好可怜，房子工工整整的，捉迷藏都没有地方躲。

后来，我开始嫌贫爱富。在学校时看不起学校里的埋头书卷不看窗外的学生，社会上混也不喜与平民百姓打交道，一心只想往上爬。圣若兰女校里当年号称女中豪杰的人们，后来无非甘心做个小白领，亦步亦趋地结婚生子，自觉不错，其实又算得什么。和她们讲，不成传奇死不休，她们会说，这世界上只有一个比尔·盖茨。

我独坚持，这世界上只有一个比尔·盖茨，这世上也只有一个李桃桃，用一除以这世上碌碌众生，百分比有何不同。

传奇是凡人创造的。

不想成为可可夏奈尔，觉得要成为威尔士王妃是天方夜谭的人，我统统鄙视。像章子怡和嫁了默多克的邓文迪，机关算尽，步步为营，才是我欣赏万分的女子。

对我来说，王亲贵族，高官厚禄，国际巨星，这才是看得进眼的人。

于是，也罢，金色塔尖上的人凤毛麟角，我又不肯迁就，我不寂寞谁寂寞。

我曾经想问季媛，是否恨我。很多次在学校的各种场合，如果没有我，她就是惟一的公主。

但我又想，如果她先问了我，是否我也可以干脆利落地作答，或者，我会说真话么？

我明明恨她戳穿了我的秘密，恨得想一把掐死她。哪天她要是死于非命，那我肯定是头号嫌疑犯。

所以这个问题被谁的手盖了块裹尸布一样，不问青红地推去了太平间，谁在阴谋中割断了要问问题的脖子。

从萨尔妮那里定制的比基尼是水晶鱼鳞的，胸部正好用了两片硕大河蚌壳，用大颗珍珠串起了下身前后的两片遮羞布。扬·法朗索瓦把我的头发用印度丝巾掺在头发里拧了个斜斜大麻花，我摇着他央他把我弄得再出挑些，我可是要去拼宿敌季媛，总不能被她比下去。

大麻花怎么不好了？古墓丽影造型正当红，法国人振振有词。又从早上裁缝送来的一堆东西里捡了个和胸部呼应的珍珠贝壳手包。鞋是制鞋坊里打的一款无名冰海蓝马蹄跟凉鞋。

我裹了浴袍出发，一路上捉摸着只有我一个人，怎么亮相才能长了自己的志气而灭了"她"人的威风。

基本的手段是一进门把我的手包打翻在地上，让唇膏、手机和钱掉得到处都是。男人在女人弯腰的时候都会条件反射地等着看春光的，这跟一个同性恋男人看见某个男人背对着自己撅起屁股时的生理反应是一样的。

不过显然这只是派对守则的扫盲知识，我这派对教母克拉拉当然要级别再高点。

车子已经开过了棉花吧，我想起在这里客串唱爵士的南非白光头马特同时，忽然怦地心中冒出一个鬼主意。

嘿，兄弟，我要借你的潜水头灯用用。我拿起手机一个电话甩过去。

克拉拉小姐真是无事不登三宝殿呢。南非白光头正好在家，一边和我讲话，手上竟还敢噼里啪啦敲着电脑。

你够忙得，接电话手也不闲着。我有点酸酸的，怕我的追求者渐渐识相地转移目标了，我可以对他没意思，但我要所有迷恋我的人永远迷恋我，他们爱上我，我就要在他们身上烙一个属于我的封印，三生三世不得反悔。他们可以结婚，可以另有女人，但他们看到我要痛不欲生。

还不是你们2008年北京奥运会在招标，不然我哪来这么多狗屁事情忙。过来吧，小曲奇，让我看你一眼也好的。要潜水头灯是吧？我马上找出来，随到随拿。

2008北京奥运会？

我原本因为马上要和季嫒较劲而兴奋的神经倏地一振。

果不其然！马特对这块大肥肉已经动筷子了，而我只要等他叼进嘴里，上演一场乌鸦、老狼和肉的故事。

啊，乌鸦，乌鸦，你的歌声真动听！

请你为我再唱一句"你把我灌醉，你让我流泪"好吗？或者"啊！我的太阳"也行。

车子转到安亭路的老洋房去兜了一圈，再一路开到青浦的别墅区。

两个只穿花色三角裤的黑人肌肉男站在门口，我把马特的潜水头灯迅速箍在头上，并试了试开关。强光腾地一下子照在反光镜上，刹那芳华的一瞬，我心满意足地坏坏一笑。季嫒啊季嫒，学校里的英文演讲比赛、校园歌手大赛又开始喽。

司机把车一停，长得像阿德里亚诺的黑帅哥帮我拉开了车门，我克拉拉就裹着浴袍，戴着最别致的头饰隆重登场了。

小院子里不见闲散人影只听到不停尖叫的人声，到了房子的背面。两层半的小别墅，竟豁然出现一个迷你观光电梯。

呀——哈！

就算我见惯大场面，对这意想不到的装置还是张大了嘴巴，慷慨赞叹了一声。

我的小冤家真是实力不容小觑，越发激起了我的斗志。

我走进去，身边有直接穿三点式来参加的各色乖乖女男人婆大波妹，还有秃顶或者头发健全的各路男士。迷你电梯一升，远远看见淀山湖的银白水印，像是谁在强光下眯成一条线的眼睛，南方夏天的稻田已经说不清是绿是黄还是什么，我自作主张在电梯停住之前把这种颜色叫做芥末绿。

一进门，我的冰海蓝马蹄跟就戳死了一只沙滩蟹。

我龇牙咧嘴地捂住眼睛，但已经忘不了有只支离破碎的蟹子怎样在我的鞋跟上挥舞着蟹钳挣扎了一秒钟，然后就横着爬到上帝那儿去告我的状了。

我的脚下是一层不薄不厚的沙子，四处放置着棕榈，椰子满堂滚，还有就是无辜地在各种名牌鞋子间逃窜的沙滩蟹。

原来模拟沙滩派对是仿真版的电影布景。

而且几秒钟后发现房间里的空调开在 40 度，暖风不断地吹过来，人们汗流浃背，在南太平洋的打击乐声里扭动着腰肢，脱下鞋子，光脚走下楼梯。

楼下不停传来尖叫与欢呼声，还伴随着闪光灯与快门咔嚓咔嚓的闪动。

我走到扶栏去张望，原来是一副旋转楼梯，一直到一楼的大客厅里，楼梯上铺着红地毯，来宾要从顶楼一直走到楼下去，用各自的方式登场亮相，颇有些小型星光大道的意思。

有三个女人在摆霹雳娇娃造型的。

也有六个家伙聚在一起跳夏威夷草裙舞的。

更有情侣档看似漫不经心地走到众人之前，忽然绅士把小姐一推，用胳膊接住腰，然后俯身做好莱坞 KISS 的。

轮到我，脱了浴袍，早就想好了谋杀菲林的必杀技。干脆往旋转楼梯扶手上一骑,滑滑梯一样快速滑下来,快到头时,双腿一合,做一个跳马运动员下马的结束动作,并把潜水头灯一拧,朝一圈人的脸上毫不留情地照一遍。

总是有满堂喝彩等着我的,我从不怀疑。

可是,当我顺利地加速滑到了一楼,双腿一合,想一个 10 分满分结束动作招揽掌声的时候,地板上银白色的沙子和椰子为它们的女主人出了口恶气。

我一跳,脚丫子在沙子上一滑,又踏着了一个椰子,整个人失控地摔坐在地板上。潜水头灯也忘了去开,头发被摔散了,我像个小丑一样坐在地上。

闪光灯当然也是一阵猛闪,还有哄笑之后虚伪的关切,我愣愣地坐在原地,披头散发,溃不成军。

而满客厅的棕榈树和沙滩椅之间,从一个白色吊床上,正走来一身火红比基尼头戴花环的季媛。

她步子悠悠,笑容盈盈,把喝了一半的绿宝汽水交给了不知名的奶油小生。

又拨开众人,朝我弯腰,伸出纤纤玉手一只。

嘿,宝贝儿,没事吧?

我迟疑地看看她的脸,我不知道这一刻她是幸灾乐祸还是真心想拉我一把。

但最终她把我从地板上拉起来,又帮我拍掉了屁股上的沙子。

她说,阿拉小姊妹。

她这天晚上是执意地要拉我的手的,在沉默的时候,中指卷起来,轻轻挠着我的手心。

她不倾诉,也不看我的眼睛,我一次次只能看到她粉白如樱花的侧脸。我想起来,我们只有 22 岁,镭金芳华。

可我们又和 22 岁应该有的状态如此不同,我们的圈子尔虞我诈,纸醉金迷,对于我们来说,是否有点过于接近人性的边缘,就要看到一些残酷诡异的东西。

哈,鬼知道,已经走到这一步了。

郊外的晚上,派对的喧闹成了整个耳目所及里极其突兀的一片。而我们站在窗边的鱼缸之前,静静注视着颜色迷离的热带鱼摆尾巴或睡觉,珊瑚的颜色。

这是我的别墅。

我在暴躁的音乐里听见她尖细的声音,清晰,用陈述句,深藏不露的幽凉。

顿了很长时间,又说:不管怎么样,是我挣来的,没有人会白给我,没有天上掉下来的馅饼,克拉拉,我们也未必幸运。

这句话我相信是意味深长的,但我当时一下子没听懂。

▶▶▶ 偷天陷阱

离定好起飞去马来西亚的时间只剩一小时,而我们还在高速公路上以 200 码的车速冲刺。树看不清树叶子,桥是天空巨鸟一秒钟的阴影,粗线条的景色让人觉得有点人头落地的干脆爽快。

一夜未归的扬·法朗索瓦胡子拉碴地赶回银行家俱乐部接我,刚坐进车里,手机的短消息又叮当响起。

我看他那样子就预感到这小子这次不知又做了什么糊涂事,而且肯定是可歌可泣的那种事。

别看他能把 MC QUEEN 的蓬蓬裙和 KATE SPADE 的帽子搭配得天衣无缝,但他在自己怎么和女人搭配上就是个大白痴。

我相信他的破产就是栽在某个女人的小伎俩上，虽然我不知道他的那张 VRBANK 金卡具体怎么沦为废塑料的，但就是直觉不止是榉木价格风暴这么简单。

我真傻，真的。

几分钟后，21 世纪的持德国护照的法国裔男人和中国旧社会祥林嫂选择了这样的开场白：

我拍拍他的大腿。兄弟，我克拉拉在此，有什么不幸尽管说。

我昨晚……没戴避孕套。他捏着手机忸怩作态，不安的手指在银灰色的机壳上留下冷汗的印子。

哈。我大嘘一口气。就为这个，你以为你是超人么，那么厉害能百发百中？

话不是这么说。不怕一万，就怕万一。

得了吧。你知道每分钟全世界在医院里流掉的婴儿有多少吗？科学技术发展就为了给你这种糊涂虫有补救机会。

这次……情况不像你想得那么简单。

啊呀呀！我亲爱的扬·法朗索瓦，你不会是睡一夜就睡出感情来了吧！我凑近了，在车子的飞驰中继续调戏他。

不是……我昨晚和徐增敏在一起……我喝醉了……他无力地垂下头。

谁？我把长头发别到耳根后面，让听觉畅通无阻，我想刚才是空气被头发一荡，多震动了几个回合，才发出了有趣的发音。

徐增敏。徐增恺的姐姐。

……

我彻底熄火，锅盖盖上，闷掉。闷茄子还是闷牛肉都比徐增敏这个名字好闷得多。

上海这么多如花似玉的年轻姑娘等着泡洋帅哥，他怎么就栽在这个老女人身上。而且兔子都不吃窝边草，大家都在一个圈子里，想躲都

躲不掉。碰上徐增敏这种女人,怕是没怀上,也要硬塞个洋娃娃到肚子里的。这么聪明个男人,在女人的事情上简直蠢到可口可乐。

他把手机递给我,让我看小屏幕上闪闪烁烁的短消息,是徐增敏刚才跟在屁股后面发来的:等你回来!

这么恶心的话亏她发得出手,我似乎一只蚯蚓从胃爬到喉咙口。看来这女人急吼吼地要吊男人已经到不顾一切的地步了。

我把手机嫌恶地还给扬•法朗索瓦,摸摸自己的手臂,一层鸡皮疙瘩已经掉了一地。

你完蛋了,等死吧。我不客气地总结道。

现阶段,我克拉拉实在管不了那么多男女私情,此番去吉隆坡参展,是我开始证明自己的第一步。

马来西亚的制造业近年来突飞猛进,已经从中国的出口额中大大分了一杯羹。

大马与国内的市场千丝万缕,此番到吉隆坡参加展会,我心想先从东南亚市场下手,然后再伺机找到中国国内市场的缺口。当然,工作归工作,玩耍享乐我可停不了。周末我和我亲爱的扬•法朗索瓦要到云顶 happy 咯。

在云顶高原山腰的斯里拉扬宾馆等缆车时,我忽然听到身后有人用马来语在谈木材生意。

不知是不是我最近朝思暮想着生意上的事,以至于耳朵也发生了幻听。

我尖起耳朵,做导游时培训过的马来语迅速地恢复了水准,原来扬去调查了我的德语、英语和马来语水平都是有用的。

我听清楚他的客户要的是欧洲硬木,并且正是德国山毛榉。

马来男人说,他要再算一下才能报价,周一到人家厂里去详谈。

我马上一手腾地拽住扬•法朗索瓦的袖子,一手从小包里掏出镜子来照。

我用德语轻轻对扬·法朗索瓦说：我们退到队伍后面去，看见那个在打手机的穿大花衬衫戴棒球帽的马来人吗，我们跟住他，他有客户在询价。

　　我和扬·法朗索瓦都是天生做间谍的料，他没有下意识回头去找，相反却扫了一眼一个前面缆车玻璃上的倒影，我也只是对着镜子继续轻松地检查自己的口红。

　　扬·法朗索瓦再三看着花衬衫的影子，惊讶地问我：你确定？你的马来语真的强？我还当你的简历都是伪造的呢。

　　我朝他挤挤眼睛。

　　啪嗒一下，满意地扣上了镜子青瓷镶面的外壳。

　　心照不宣地，扬伸出手来抚摸我的唇角，甜蜜自然。他的手指甲照例还是修得圆滑，打磨得没有任何疏漏，今天涂着 SALLY HANSEN 顶级指甲底油，浅浅珍珠色，看过去像是潮汐后，海岸上的贝壳，透彻清亮。

　　我新擦上的藕荷色唇膏在他的手指上染出一条银河。

　　SWEETY，等会儿我们得找个地方买避孕套。他故意把话说得不轻不响，正好让该听到的人听到，目光里满是以假乱真的淡绿波光。

　　我拉起他的手，皮肤间细碎的温热流窜。

　　有些时候，扬如此让人心动。

　　穿大花衬衫的马来男人和我们上了同一辆缆车。

　　六目相对，我们有心，花衬衫却毫无防备。

　　为演好这出戏，扬·法朗索瓦自然而然地搂过我，一种崭新的 28 岁男人的体温与力度，在法国式样的姿势裁剪里，杜拉斯的黑夜号邮轮隐隐燃烧，这一刻，我们看过去应该甜蜜而沉静。

　　平稳上升的缆车滑翔在云顶高原无际的原始热带雨林上空，叫不出名字的植物纠缠攀援。生机太茂盛，烟雾从形状各异的叶子间漫出来。多少鲜肥的蜜蜂正掉入猪笼草暗含机关的袋子里，多少蟒蛇如女人的长卷发缠着男人一样缠。

　　那些恣意疯狂地争夺阳光与雨露的状态，正如一块拉杜蕾清晨的顶级牛角面包,放进嘴里是一层层化开去的,层层明晰,松脆微妙。

我相信搂着我的扬·法朗索瓦也在想起两个月前在 NEW YORKER 的信用卡危机后,那个傍晚,在巴黎春天楼下的咖啡店里,我们是动过要彼此勾引的脑筋的。

那一天,柠檬黄的暮色里,我们仿佛有过要到陕西南路的十字路口跳一场舞的欲望,仿佛我们从星巴克露天的青铜圆桌站起来,年轻的法国男人半倚在暗影里,个子矮小,但五官精致,卷发如丝,颈中系着夹织金线的绸巾。

我无法从这俊美的人身上移开视线,我只能停了一下,深吸一口烟,连带他的古龙水味道一起吸进身体里,任它在我身体里百回千转。

一束光从车流如水的淮海路上扫过来,我们半阴半明地等待着一首弗拉明戈舞的曲子。

再相见,我已成了亚历桑德的克拉拉,而他是破产后靠亚历桑德资助过活的私人助理。

如果我是富婆。如果他是单身汉。

呵呵,那又能怎样。

缆车咔嚓一下降落在云顶娱乐城的入口。

一阵变音的重金属电子乐密密麻麻如伏击的恐怖分子冲锋枪扫来,鼓膜顷刻成了蛇皮鼓面,被轰隆隆震得快要破裂。云顶里的声色光影,堆砌得触目惊心。一抬头,被荧光材料装饰的有轨小车沿着轨道快速滑翔。走一步是顶天立地的奥斯卡小金人,再一步,巴黎的埃菲尔铁塔就在转角,一会儿又是凯旋门。鼻子里充斥着牙买加甘椒、法国起司、中国大蒜与美国麦当劳薯条的混合味道。

云顶就是一座冷血而快乐着的物质城堡。

穿花衬衫的马来男人走得很慢,装着电脑和文件的大皮包显得异常重。隔些时候,他都要换只胳膊来拎。

我和扬·法朗索瓦十指紧扣地跟在后面。

花衬衫忽然回过身来时，扬·法朗索瓦以超音速吻上我。我们急促而慌张地香了一记，四只眼睛都来不及闭。他的嘴唇柔软如一片棉花田，却又骤然离开，我探出一小截的舌尖在空气里着了一阵凉，赧了一脸。

我越过他的耳朵，看见花衬衫男人只是走进 SEVEN-ELEVEN 里买一包烟。

再走路，虽然我们讨论着究竟怎样拿到花衬衫的客户，但心里被拧了个褶子，码也码不平了。

FIRST WORLD 酒店虽然有 34 个 CHECK IN 柜台，古印度风格的装饰金与红闪烁耀眼，但在周末蜂拥而来的人潮面前，还是排起了长龙。

我们和目标花衬衫排在同一个柜台，就站在他身后，近得看得清楚他脖子后面一颗生着长汗毛的痣。

因为包太重，马来西亚前台人员人又是出了名的慢性子，花衬衫男人把包索性放在了地上，摸出烟来抽上，看看硕大大厅里的西洋镜。

输了钱的 PUNK 黑人青年在墙角发呆，另一队里竟然三个西方男人都推着婴儿车当着奶爸，小日本的旅游团人手一部照相机，看到什么都要合影留念一下，闪光灯亮起的频率犹如开记者招待会。

花衬衫的包放在他的目光背面，就在他的脚边，把我的视线折磨得像在受酷刑。

我看了看嘈杂混乱的周围，没人注意，我一咬牙，迅速拿了包拔腿就走。

扬·法朗索瓦聪明地在花衬衫的余光里多留了一会儿，看他踮脚看前台进展时，这才转身撤退。

我们绅士淑女地走出 FIRST WORLD 酒店大门，马上开始在人群里狂奔，电子音乐及时而努力地助兴，我们冲刺，再冲刺，偶尔被人群打散，隔着几米，看见彼此毛细血管扩张的脸。

克拉拉，克拉拉。RUN！RUN！RUN！

偷来一句德国电影的不断重复的一句话。

他朝我大叫，额头上的汗珠反着光，唇如红酒。这一刻的激烈，仿佛做爱中汗流浃背的男女。

我回手飞了一个吻。

视线很快被凌乱的长发按了 NG。

桃李争春，在我们的狂奔中应该以微秒来计地插进万物生长的镜头，螳螂蜕皮，蜜蜂采蜜，种子发芽，百花争艳。嘀嗒嘀，嘀嗒嘀嗒嘀。

生意人的每根汗毛都流着肮脏的血，你知道，我也知道，其实大家都知道。

这世界的真相原本可以依次类推，没有什么让我吓一跳的。尔虞我诈，即便我不偷不抢，难保他也要被别人又偷又抢的，所以我不会深夜睡不着。

电脑的 OUTLOOK 联系人档案里记载着所有客户的资料，在附加栏里找得到需要的木材种类、连湿度、厚度、宽度、等级都一一标着。

服务生推来晚餐和香槟，"波"的一声瓶子开了，泡沫流下来，唧唧咕咕地掉下一席奶白瀑布。

我们眼睛雪亮。我和扬·法朗索瓦举起杯，相视而笑。

怎么样？我是个臭屁的狐狸。

扬来了一个霹雳 POSE："一切易如反掌。"

我喝了口香槟，准备打电话给亚历桑德。

▶▶▶▶ 脚心的禁忌

最初的某夜，我们半浮半漂在浴缸里念完了《约翰福音》的第八章。

亚历桑德把我从水里捞起来，水淋嘀嗒地抱到床上。

他抽出花瓶里含苞的玫瑰，把花一瓣瓣摘下，把酒红色的汁水拧在我的身子上，用手指轻轻匀开在我的颈上，我的乳间，沿着小腹一路下去。他把那些拧干了的花瓣堆积在我的双腿之间，低下头，就着花瓣把脸贴在我的小腹上轻轻摩挲。

他不说话也不进入，他久久地就像我无数次幻想过的像个神父一样地用手臂撑着脸看着我。玫瑰的汁水不是媚惑的香，只是一种茶与寺庙里香灰的气息，我在这汁水的浸泡里更像个祭祀里做贡品的女子。

我和他都静止在那个瞬间，像圣女与神父之间那样不可靠近地彼此凝视。一次牺牲般的穿越，轻轻重重，远远近近，一道神的使者遗留的封印凝固于此。

那个瞬间，似乎就要遗忘了从前之前，往后之后。

当汁水渐渐在我身体上干涸，留下七扭八歪的褐色纹路，他才开始沿着一道道的纹路舔我。他来到我的脚踝上，绕着我凸起的关节，舌尖舞蹈。

就在这时。

有一束光，激光，从遥远的上海北部划空而来，划开一道在麻木中撕裂的伤口。

我无可救药地想起脚底板上的那块厚厚老茧。

我放声尖叫起来，声音穿过干涸的深渊。我生硬地弓身坐起，蜷着腿。腿间的花瓣撒了一床，死在那里。

我惊慌失措地看着亚历桑德,歇斯底里无法遏止。

别!别亲我的脚!求你了!

我嚎啕大哭起来,仿佛觉得被他看见了我生活的那个弄堂与弄堂里肮脏的一切一样。我怕死也怕活,但还没有怕那个小弄堂那般怕。一想起那里,我就成了南方人喜欢的九制话梅,所有水分,所有鲜嫩,都揪起褶皱,最后成了又咸又涩的硬粒子。

亚历桑德愣在原地,一时不知道究竟发生了什么。

他迟疑地拿毯子把我裹好,不停地亲吻我的额头与眼睛,亲昵里不再有任何情欲的成分,他像父亲,像神。

克拉拉,我要怎么才能让你忘了过去?他把手插进我布满冷汗的头发里,一种赐福的姿势。

那不是我的过去,那是我的病。

我已经把自己治疗得基本上毫无破绽。

惟一的破绽就是我脚掌上的那块厚老茧,因为曾经要省公车的票钱而走过太多的路,还因为买不起一双舒适的力学设计合理的鞋子而生在那里,后来买得起好鞋随时随地坐得起小车了也无法去除的厚老茧。苏北的窝瓜脸可以抽掉脂肪再加下巴,皮肤再粗糙可以做护理,头发枯了可以口油,身上有赘肉可以仪器瘦身,甚至是长了灰趾甲,现在也可以去医院里先用药包着使之腐烂,然后用钳子一只只生生地拔掉,过三个月没有趾甲的日子,然后会长出崭新的透明粉嫩的趾甲来。惟有脚上的老茧,是没有对策的。

我问过医院,问过美容院。没有,真的没有,不信你试试看。大S的《美容大王》里讲的也是没用的,那个也许适用于一个千金小姐的一次人性徒步旅行,有老茧的迹象的那个阶段,而不是我这样劳苦的来历。就像一个苗条的女子因贪嘴多吃了几顿高热量的大餐而长出来的肥肉和一个180斤的胖姐,要想减肥,是不可同日而语的。

脚上的老茧像是贫民区烙下的永恒印记,如影随行。

鞋子更换，就是改朝换代，标志着我一步步地挣扎跳跃。

起初穿在苏北祖母用做衣服剩下的碎布纳起来的布鞋里，后来穿在 5 元钱一双的硬塑料凉鞋里。也穿过人造革的系带鞋，一穿穿了 4 年小学，祖母硬是要钉个鞋掌，走到哪里都是叮咚叮咚的，同学们都惊慌以为是爱穿高跟鞋的年轻女老师驾到呢。后跟钉着鞋掌也会磨烂的，金属片脱落了，后跟也磨歪了，送到鞋匠那里，削掉半个后跟，再钉上一块可笑的加出来的胶皮，几个小铆钉，看上去像多士加了火腿片一样，踩着又可以叮咚叮咚走上几个月。

后来，脚上的鞋子可以在 VOGUE 或 ELLE 的精美纸张上看到，穿在模特的脚上，或者，和花朵与蕾丝一起摆得勾起女人的占有欲的。但只是有后跟的船鞋，贵妇鞋，对仅一条细细带子的拖鞋型凉鞋始终眼馋而不能拥有。只有生得一对玉脚的人才能穿那种式样的鞋子，不怕任何人看到她的脚底。

而偏偏，因为拖凉鞋简单至极，所以在材料和颜色上就格外有花头，水果色，沙漠色，动物画纹，各种质料的尝试都可能出现在细细的一条上。

在每次看到这种凉鞋时，我都有跳黄浦江的想法。

一双敢于不穿袜子的脚是我终生的梦想。

可以和情人赤脚在房间的木地板上跳舞，缠绵过后的清早可以用我的脚丫子和他的脚丫子调情游戏。

贫穷是一种致命伤。

克拉拉，我要怎么才能让你忘了过去？

有一天他回到酒店房间来，却看着我把酒店里免费送的小东西拼命塞进行李箱里。

洗发水、纸拖鞋、一次性牙膏牙刷、塑料梳子、免费茶包。

当然了，我的小弄堂阁楼里有更多的东西呢。吉野家的袋装姜丝、麦当劳的盒装甜辣酱、星巴克的纸包装调味糖和一次性叉子。

他倚在门上,不敢相信我在干什么。他一把把我拉进怀里,舌头在我的口腔里狠狠地搅动着,仿佛我的过去就藏在我的喉管里,他舔到深处就可以舔到。

我想起蜥蜴和青蛙的舌头,他的舌头也许这时和它们一样长。

可他对贫穷的想象永远比我的小弄堂富裕一些。他以为买不起ARMANI只能买百货公司的牌子是穷,以为住不起五星酒店住三星是穷,以为没有私车只能坐TAXI是穷。

这就是一个德国世袭贵族所能想象的全部。

他可以不理解地说,真的都过去了,为什么你还忘不了?你现在想花多少钱就可以花多少钱,不用为一块面包担心,我说过我要和你分享我的余生。你为什么还要拿这些?你在怕你会没有好牌子的洗发水吗?还是觉得你还需要用肥皂来洗衣服? 你甚至担心你没有东西梳头?

我是谁?区区一个小情人而已。

我现在吃过穿过用过的,到底是狐假虎威。我没有契约没有身份,圈子里的人朝我微笑吻我手背,谁又知道一转身有没有骂我一句小母狗的。

我遇见他。他遇见我。或许只是互相补填着对于贫穷与富贵之间遗漏了的想象。

所以,他必须让我锦衣玉食,让我淡忘对贫穷与卑微的恐惧。

而我要为塔克西斯家族的榉木事业添砖加瓦。

▶▶▶▶ 立地成王

去马来西亚之前的一天。亚历桑德和扬·法朗索瓦从上海外滩的中国银行一前一后走出来时,阴天里的太阳戏剧性地猛力闪耀了一下。

我摇下车窗,摘下 CHANEL 大墨镜,把琥珀镜腿咬在嘴里,朝两个如今和我愈发亲密的鬼佬吐吐舌头。

一本支票本递到我的鼻子低下,我接过来,凑近鼻子闻了闻纸张清香的味道。原来,支票是长成这个样子的。

扬·法朗索瓦以一贯派头十足的姿势从车窗探进半分圆脑袋,轻轻地说:嘿! 克拉拉小姐,我想说什么来着,你现在可是名副其实的小富婆了。别忘了,你是富婆,我就是单身汉。

亚历桑德有心事,沉默地拉开车门,坐进来。

奥运会这样的绝好商机,以中国政府一贯对本国企业的扶持与保护,自然身为本土的公司会有更多优先机会。

为了争取到国内没有直接进出口贸易权的榉木厂家,并更好地打开中国内地的市场,亚历桑德决定以我的名头注册了中国公司,五百万资金转到了我的账户上。

从表面看来,这个公司是个地道的国内公司。我们甚至连名字都选了讨好中国人的福祥木业。

美金持续贬值。

克里在越战时期的表现急转直下成了他的软肋,三枚紫心勋章及铜星银星勋章的来历受到质疑。

亚洲地板与家具市场对橡木和黑胡桃的热情不见平息。

中国政府开始对过热的房地产进行宏观调控,房地产市场的缩水直接影响了建筑、装潢和家具地板行业,最终使我们的木材销售量雪上加霜。

亚历桑德把资金问题的希望转而投到了人民币上,已经开始动了念头想在国内买些房产,来等待人民币升值。

美金持续的贬值状况令国际商界人士忧心忡忡,西方人正以史无前例的热情关注着中国的经济动向。

侯爵现在更关注中国政府对来自国际社会上源源不断的热钱有何反应。连祈祷的时候都会加一句：上帝与我们同在，人民币快点升值，阿门。

犹如趁火打劫。

我。22岁的克拉拉，今日之日，摇身变做上海王了。

为了庆祝我们的福祥木业，也为了给明天要回德国照管工厂的亚历桑德饯行，我做东宴请众人。

我说今天我克拉拉买单时，海上花宫里的妈妈桑和刚才对我大不敬的徐增恺顿时傻了眼，而亚历桑德和扬·法朗索瓦则在一边露出了调皮的笑容。三个扬·法朗索瓦在上海的美国朋友站在一边，对眼下发生的并不敢兴趣。

这徐增恺是亚历桑德生意上的朋友，原籍河南人，增是他们河南老家家谱他这辈的字，听上去挺别扭的。年纪不过二十八九岁，和在 OF-FICE 里苦心经营的同龄小生们早已不可同日而语。

在榉木的黄金时期，也就是只要你手上有货，就有人拿着现金追在屁股后面求你卖给他，且多高的价都愿意付的时候，他和扬·法朗索瓦一起日进千斗，笑得合不拢嘴。而上海的房价又节节高攀，他用赚来的资金转投房地产，倾刻就成了上海滩上人们要抬眼相看的人物。且这样在楼盘上乐不思蜀，榉木的价格风暴也被他躲过去了，哪像扬·法朗索瓦，生是木材命，弄得倾家荡产，凄凄惨惨，还在和木头打交道。

他有个姐姐徐增敏，刚才在金贸一起吃饭吃了一半就被她干爹叫走了。

他姐姐和他一样，连个正眼都没看过我一下，却不知道今晚谁是东家。

她也三十出头一大截了，是上海电视台的大牌女主播，脸熟得需要处处戴墨镜避免骚乱的。和政府里的达官干爹也有些不必明说关系的。

圈子里的人都知道她有句名言：你们等着，我非嫁给你们看看。

她当年从河南考进纺织大学，忍气吞声做了6年小学老师才把户口落在上海，一朝进了电视台，又忍气吞声很多年，直到搭上了她的高官干爹，这才成了大牌，病态地作威作福起来。周围人都知道她现在就急吼吼地要嫁个钻石王老五，让等着看她笑话的人都没话说。她的急吼吼是写在脸上的，她当然听得到，人家都说，干爹能让你坐上一线主播的位子，但看他愿不愿意抛了官位和妻小来娶你。

女人到头来，嫁得好比什么都好。这一条，够她徐增敏一想起就窝塞一整天的。

不管如何，这姐弟俩不是英雄也算是上海滩上的一方枭雄，如今既然是我克拉拉圈子里的人，我也犯不着和他们过不去。

几分钟前，徐增恺还以为我是亚历桑德路边随手捡来的女大学生，甚至在我伸手示好的时候，他竟手一背转身走开了。

他以为他是少俊，他还不知道我克拉拉现在更少更俊。夹子里一本支票簿全听我使唤。

亚历桑德当时脸一虎，生气地把烟斗从嘴里拿出来，有话要说。

而我一反爆烈坏脾气，胳膊肘碰碰 ALEX，笑笑了事，银行账户上的钱让我多么笃定悠然。

再近处的妈妈桑，开口竟是：人家饭店进门都不许酒水外带呢，我这海上花宫里怎么能让你们自带小姐啊。

我还是弧度良好地微笑，伸手拍拍她皮肉松弛的徐娘老脸：侬讲了有是有道理，但是今天本小姐我埋单。你说要带不要带？

我从钱包里抽出一撮百元大票，码扑克一样码成个桃花扇，朝她扇扇风，让她凉快一下，掂量清楚。

我克拉拉如今大人有大量，随便电视台的明星主播，还是什么上海滩上的徐增恺，我才不和你们计较。

我的脸是和金喜善一个级别的，我的物质水准比帕里斯·希尔顿都不逊色，我身后的亚历桑德·冯·土恩温特塔克西斯拥有大片的森林和皇宫城堡，我们的私人飞机上连马桶都是镶名贵宝石的，印度侍卫与法国大厨随时待命。

我还有什么要和你们这些人计较。

小姐们陆续开始进场。

各色各样的小姐，从 A CUP 到 D CUP，高矮胖瘦。熟女型少女型混血型妈妈型；白嫩的黝黑的棕色的；西洋妞东南亚妞日本妞大陆妞黑珍珠妞。应有尽有，琳琅满目。

八个一组地进来，站在面前，被众男人挑选。需要向左转向右转看腰身与胸围，再向后转看看臀部轮廓。

男人们挑挑拣拣，于是姑娘们一批批进来又一批批出去，此种架势与场面让我十分惊叹。

到最后，总算每人身边都有了一个。又进来一位穿红裙的，专门点歌不出台。

扬·法朗索瓦挑了一个我看到的最丑最老的一个菲律宾女人，我几乎昏倒，亚历桑德却说，扬·法朗索瓦品位一向独特，此种女人是位成天做梦时会梦着打手枪的。

扬·法朗索瓦却俯过身子对我解释：这是应酬需要，中国人怎么说来着——实在没办法。我最讨厌这种只有中国才有的KTV了。像我这么英俊的男人，难道需要付钱来买一个吻和一场拥抱吗？克拉拉，你觉得我需要吗？

妈妈桑出去之前，再一次问亚历桑德：你确定你不要一个吗？

ALEX 慢慢地吸着烟斗，把手覆在我的手上：SORRY，这位是我的夫人。

我听了这话，笑津津的，剥一颗银杏放进亚历桑德的嘴里。我虽不是夫人，有男人这句话在，也强似夫人了不是。热的银杏也是此间当小食招待，软而糯，原本想当然地以为是和开心果一样的味道，没想到竟不是爽脆的干果。亚历桑德吃过世上山珍海味，此银杏却连名字都不知道，十分有趣。

妈妈桑却仍不罢休。也真难得，这么年轻的夫人。

CHRIST CHURCH MELAKA
1753

亚历桑德被小小银杏勾了魂，哪里还睬她。

老女人迈着悻悻的步子走了。

鬼佬们身边的女人个个殷勤，会讲英文的尽一切所能调情，不会讲英文的则手脚搭三，但鬼佬们似乎觉得唱歌比身边女人更好玩，翻到英文歌单，看着好玩的都胡乱点一气。

有的貌似深情，有的专职捣乱。

刚沙哑着嗓子唱，在卡萨布兰卡，我和你坠入爱河。又捏着鼻子唱，I'M YOUR BABIE GIRL.

过足了瘾，这才发现我和亚历桑德自顾自玩着七八九，把面前两盘银杏全都消灭光了，于是哄我要跳支舞，不肯罢休。

我喝了些酒，神经兴奋，今儿反正本小姐高兴，唱唱跳跳原本非难事。也罢。正好使出当导游时哄外国游客的看家本领，虽然此刻不是导游，拿不到小费。东方女子想哄老外最容易，你敢吓他们一跳，他们就觉得你不同凡响。

于是我甩掉鞋子，站上大理石桌子，把瓶瓶罐罐用脚放肆地扫到地上。

这样一翻作秀足够让他们瞪大眼睛。然后我把背心的下摆撩到胸际，紧紧拧个结。四下静得出奇，我站在桌子中央，深呼一口气，开始戏曲身段：一个亮相与甩辫，而后就地后弓翻，一连在原地翻五个，并最后以一字开坐在桌面上，加一个三环手托月结束。

掌声，轰动，不出意料地。

亚历桑德过来满眼惊奇地把我抱起来，举向半空，旋转，罗马五彩吊灯在旋转里成了一杯被搅动的琼浆。我咯咯咯笑个不停，他叫我"小妖精"：小妖精，你又在变戏法么？

谅他们见过拉丁舞踢踏舞交谊舞的高手，也未必看到如此中国戏曲才有的工夫。我一向有自己的办法"扎台型"。就像其他的中国女子想"很东方"的时候只会没创意地找件旗袍往身上套一样，我却会穿小号的马褂配一条绿油油的麻围巾。别的女人想艳遇只会把自己打扮得像个大花瓶,撑死了再要个小眼色之类,我却会径直走到想勾引的人面前去扇他一巴掌。

有些事,真的是那个肮脏弄堂里生活过,又骤然看到另一种生活,在那种瘸子般不平衡的生活里才能学到的。

在普通的小康家庭里被父母庇护的孩子们则只会跟着几份沪上的小报来打理他们的生活。

娱乐只有上钱柜好乐迪,以为会唱最新的 POP 歌曲就是酷,买衣服就是香港的垃圾牌子当宝贝,吃东西就看广告出了什么新产品,一点都不用脑子。审美观、视觉、味觉、听觉全都在退化。

而上世纪初的风云里,我的祖父母原本在苏北的盐城街头唱淮剧,没有房屋,只有一条渔船,吃喝拉撒睡全在上面,全部家当也在上面。

从老太爷,到爷爷一辈兄弟五房,一大家子都会唱念做打,实在妯娌不会也可扮扮丫鬟跑跑龙套。奶奶是花旦,是很美丽的女人。丹凤眼,小方脸,三料个子,细皮嫩肉。她的这娇好容貌成了家族迁徙的原因——日本人看中了她,叫她花姑娘。

于是,整个一大家子连夜开船逃离,从盐城辗转来到上海。

在上海的花花世界里找了个苏北人集中的窝棚住下,在里弄的小舞台唱淮剧,经历"文革"经历改革,唱着唱着就唱完了整整后半生。

父亲一辈降生,我这一辈降生,棚户区渐渐被拆了,迁徙到闸北烂糟糟的解困公房里。苏北话我是不会讲,但依然还是住在苏北人堆里,也依然做好打算要让我唱淮剧的。我从小就被逼着练身段,吊嗓子,五岁就坐在台上演小皇帝。

可我一直有预感,我会有不同的生活,一定会。

上海滩上的苏北人,谁都知道是多有意思多么悲怆的一个话题。代表着很多上海这个城市人文上隐晦的一些东西。只有曾经小渔村里的村民是上海人,还是有上海户口的都是上海人?

上海一直就是这么个不三不四的概念。

妈妈桑听到里面好热闹又进来,看我站在桌子上,脸色又阴。然后却径直走到亚历桑德跟前。跳会儿舞吧。邀他。

亚历桑德起先不肯,依然说我是他的夫人。

但妈妈桑用眼角瞥我一眼,臊气地伸手摸他的脸,并说:我相信你的夫人不会生气的啦,她好年轻好漂亮,怎么会吃我这种老女人的醋呢? 说完又瞥我一眼。

我心中恼火,却面儿上笑得欢,甚至我自己都不知道怎么就会说:ALEX,和她跳呀,我要看,别站在那里像个害羞的小男孩。快点。

于是亚历桑德真的把手搭上妈妈桑的肩,在我面前跳了起来。

我不知道我脸色如何,但我的心里醋瓶子翻了。我竭力地克制,竭力地依然疯笑,仿佛真的很好玩一样。我总是那么倔强那么逞强,弄到别人不知拿我怎么办好才罢休。

扬·法朗索瓦的手悄悄按在我的手上。

失去岸和岛屿的海水缓缓随涨潮而来,是他法国 55 区沙滩般的金色眼睫毛包围里的碧绿地中海,我的逞强与倔强从来瞒不过他。

我干脆抓过他的手掌来死命地掐着,把所有的怨气都掐下去,一块半月型的淤血很快就浮上来。我不管,我恨起来可以杀人之后还鞭尸。

他像是块橡皮一样不会痛,他任我掐着,自若地看着跳舞的亚历桑德。没有人注意我们的小举动。

我的英俊伙伴就这样从最初的彼此勾引,过度到如今的"PLUS—ONE"关系。这种关系,类似于异性男女伙伴中,某一个是同性恋,所以和性伙伴(FUNK　BUDDY)又有本质区别。1+1,并且只是 1+1 而已,不需要等于 2,不合二为一。

身体和精神上都是独立的一个 1。

很多时候,电影节啊,MTV 颁奖礼啊,明星走红地毯时选择一起出场的,大多是这样的关系。异性朋友中的最高境界就是"PLUS—ONE"。

他触摸我,我是温暖的,我们不做爱。

欲望这个字,要么还没生,要么已毁灭。

我想不起来。

凌晨要散场,一屋子鬼佬竟没有要带小姐回去的。大多西方男都是要艳遇的,聊聊天可以,真要带回去上床并付钱是很耻辱的事。我再次放话,今天本小姐埋单,要带尽管带,这里的女人都出台的。

他们没有动静。

我慢慢站起身,指着屋子角落里一个肥鹅一样的俄罗斯妞:"嘿,小妞,你叫什么名字?"K房里倏地死静,一双双眼睛看过来。

我十分得意地听到俄罗斯女人说:达妮娅。

我掉头朝妈妈桑说:OK,达妮娅我要了,她要跟我走。

亚历桑德错愕不及,一手捏着烟斗,一手箍起我的下巴:克拉拉,你确定?你要她干什么?

我学着妈妈桑瞥我的样子,瞥一眼她,再大笑着说:我确定。我确定就像我能说出来李白比杜甫大 11 岁那么确定。再瞥她一眼。

我要玩 3P。我今晚还非要要大牌不可了。

就这样,俄罗斯小姐,我和亚历桑德凌晨三点回到酒店房间里。

我一言不发地把自己锁进卫生间里,把浴缸里的冷水龙头拧到最大,哗哗的声响把我的呜咽掩饰得很好,我穿着衣服一屁股坐在冷水里,哭了。

亚历桑德在外面拍门,轻轻唤着我的名字:克拉拉,克拉拉,克拉拉。

我开门放他进来。顺便看一眼屋子里的我的俄罗斯女人。她已经坐在了床上,把外罩脱了,穿着黑色的蕾丝内衣。

我又缩回来,把卫生间的门反锁,湿漉漉地钻在他的怀里。

你凭什么和妈妈桑跳舞,你凭什么,你说过要好好待我的,你这么快就忘了。

我哭得更凶了。但我也知道是我自己说要亚历桑德和妈妈桑跳舞的，我总不能要求他明白我说"要"就意思是"不要"，我说这好玩就是不好玩，以此类推，对就是错，那我说往左意思就该往右。我总不能说出这样的道理来。我拿自己没有办法。怎么就要求别人拿我有办法。

越想越窝囊。

在他的怀里越哭越委屈。

不知他是什么时候把热水龙头也开好的，我哭一气也就没事了。

我们脱了衣服泡在浴缸里，头朝着同一边，我把自己盖在他的身上，像一只海葵，吸着他过活。我随意地玩着他的咖啡色眉毛和头发，把舌尖在他下巴上蛋形的小坑里舔了又舔，有种歇斯底里的神经病发作后的舒坦。

是不定期地，间或地，要发作一下的疯病。特别是一朝天地骤变，又在上海这样蛊惑之地。

ALEX 筋疲力尽地躺在水中，用手梳理着我乱作一团的长头发，头发也生了疯病，打结打的都是死结：克拉拉，你这个孩子，你要把我累死才罢休吗？明天我就要回德国了，扬·法朗索瓦会在你身边陪你，有什么事尽量和他商量，别再疯成这样。

如果我没接你的电话，你不要介意，我有时不是很自由的人。好不好？

我点点头，又摇摇头。用嘴堵住他的嘴。

屋外的电视开了，我才想起来还有个俄罗斯女人等在房间里。

ALEX 说：我们呆会儿拿她怎么办？

让她睡在沙发上，我们睡床上，就这么定了。

ALEX 无可奈何地仰天长啸：亲爱的，付她 200 美金的小费，只是让她在我们房间的沙发上睡一觉，你比谁都会奢侈。

慢,慢下来。对,克拉拉,跟着我做。慢!

扬·法朗索瓦把一只叉子从盘子慢慢地举起来,每一毫米的位移都是以慢动作播放的。

我学着他的样子,把叉子一点点地抬到嘴边,用舌头灵巧地把一颗樱桃裹进了嘴里,然后不可救药地手一下子快速地回落到了桌面上。

要慢! 克拉拉! 你要不断提醒自己的就是这个字:慢。

举叉子和勺子时慢慢抬之后慢慢放。

眨眼睛和别人握手时要慢。

食物在嘴里慢慢嚼慢慢咽。

抽雪茄的动作举起放下也是慢的,像这样,他幽幽又做了一个示范动作。

说话语速要慢,并且即便对方没听清,你不要随他的要求提高声音,只要以原来的响度重新说一边。

另外,要冷漠矜持。即便笑,嘴唇可以是笑的,眼睛里一直目中无人,这才是礼节的本质。

你确实不需要我多教你卡士达酱该配冰点,而利口酒蛋黄酱配温热点心最好;怎么用刀叉、香槟杯与白兰地酒杯有何不同;法式餐具的摆法和英式有何不同。

克拉拉你几乎对这些知识掌握得非常地道。但,精髓你还没领会。

慢。轻。冷。所有上流做派的本质就是这三个字。做到这三个字,你去演罗马假日就不会比奥黛丽·赫本逊。如果再有心狠手辣的天赋,那就可以出入皇家宫廷,游刃有余。

福祥木业一注册好,各种展会、座谈会和俱乐部的邀请函就纷纷飞来。

扬帮我筛选各种社交活动,安排我的日程,去萨尔妮的沙龙定制服装,预约私人发型师、广东话老师、护肤疗程和运动教练。

一沓四四方方的料子小样,我随意翻弄一遍,决定试试纯白鸵鸟毛纺成的料子。

克拉拉小姐,奥鲁家具公司每年的总裁高尔夫赛寄来了邀请函。

奥鲁!我知道这家公司,做办公家具和卧室用品非常有名。陆家嘴那幢金光闪闪的玻璃大厦就是他们公司名下的地产。

我想起以前,穷得叮当响的时候,很多次走到那幢大厦的楼下,看见欧式的喷泉广场与对空间奢侈的浪费,总是心中腾起无数发酵冒泡的白日梦。

他们的邀请我肯定出席。我语气坚定,不容置疑。

克拉拉小姐果然精神可嘉,而且总裁高尔夫赛应该有很多圈中重要人物露面,说不定真能找到合作的机会。

扬边说,嘴角却有想笑又忍着的迹象。

那好,这件事就这么定了,其他还有些什么地方要赶场子?

先慢。克拉拉小姐您听清楚这是一场高尔夫赛吗?你确定自己会打高尔夫吗?

哈哈。你太小瞧我了。还记得不久前买车的事么?

那天亚历桑德亮出自己的餐布,上面写着 ROLLS ROYCE。

劳斯是贵族。对亚历桑德来说、这对于他来说是再自然不过的理由。

扬亮出了同样的牌子,他的理由是:劳斯是法国人。

而我却不屑他们男人的眼光,我早早决定好,我要一部莲花跑车。

这是我在闸北区的小阁楼里就做好的决定。如果有朝一日我可以随意挑一部车的话,我才不要劳斯莱斯和宝马之类呢。

这个结果让两个男人下巴同时沉了一沉。哇欧,克拉拉,那么你说出喜欢它的哪一点呢? 别搞错,007和贝克汉姆都是开宝马的。你要是迷上他们的英俊俏脸,起码也该选宝马。

我摊摊手,啧啧嘴巴:没办法,也许是这个牌子的名字不赖,莲花不是正适合女人么。女人如花。

正当他们两个挤眉弄眼,以为女士们选车的标准就这么可笑时,我清了清嗓子。

先生们。

Lotus Elise 容积虽小,但速度却超乎想象的强悍。虽然只配1.8公升自然吸气(NA)引擎,最大马力只是122bhp,但车身重量只有710kg,相对而言,马力绝对够用有余,故此0-100km/h可在短短的5.6秒内完成,加速力之凌厉,足可媲美法拉利等超级跑车。

还有,我就喜欢充满原始味道的机械式操控设计,没有任何电子仪器辅助,这才叫真正纯自然的操控乐趣。

好吧好吧,莲花小姐,一切听您吩咐。可是——哈哈! 扬摇头晃脑又在鬼笑。

噢! 我指指他的嘴。你的嘴里好像说出了一个转折。

说下去,我喜欢你的"可是"。

我斜着眼睛抱起双臂,模仿了一下他滑稽的模样。

可是! 可是要多长时间,你才能考出驾照呢,克拉拉?

我的手指在桌面上啪啦啦一敲:不好意思,我只能告诉你们,我的驾照已经恭候多时了。

说时迟那时快,我把随身携带的小本本朝桌子上一拍,朝扬和亚历桑德中间出溜一下滑过去。

两个洋鬼子在验证了我的照片之后,彻底缴械投降。

当年,我在我的小阁楼里早早做足了功课,比如先背下了各种年代各种地区葡萄酒理论上的知识,然后混到葡萄酒展会上去品尝实践,细心观察波尔图出产的葡萄酒瓶是平肩还是溜肩，观色品香的法则，这才使我后来随便和什么样的国际人士约会都没有任何破绽，只要我说我来自浮华世家，没人会有疑义。

哪怕我连信用卡透支的余额加在一起只有 3000 块，我也会毫不犹豫地用这 3000 块去报名考驾照，这就是我。

你看，我的驾照到我 22 岁的时候，终于配上了莲花跑车，曾经所有的颠簸与准备，从未落空。

▶▶▶▶ 册那，学分

我开着车在延安路高架上游驰，路口一个一个过去，虹桥商圈里的商务楼，铜镜般的玻璃外墙，在清醒的晨风里璀璨发光，我在墨镜后的眼睛，看见有人支开了办公室的窗。

沿着越来越熟悉的街道，在仙霞路的路牌之后，我的 W 大学依然如故。

亚历桑德坚持要我回学校考最后的几场试。

总之……他一言九鼎，不容置疑。克拉拉，随你怎样想，但这几个最后学分是必要的，以后你就知道了。

古北一带，身份不明的美丽女子依然不绝，我和她们互相瞥一眼，有如深海游鱼，沉默辨认，鳞片闪闪发光。

阳光很好，一切都好。

大概在这个圈子里资历真的不浅了，这些女子的经历与秘密在我眼里无法隐藏。批批搭搭穿着用胳膊肘挎帆布包的女子定是和这一带的日本人混的，长直发与坚持不懈的黑色露乳沟紧身衣是酒吧、KTV 里做生意的，其貌不扬、皮肤粗糙、NORTH-FACE 冲锋衣或大 T 恤就出来见人的一类女子倒是光明正大的西方男人的女友甚或夫人。

一般来说，穿戴反映着她们的放松程度，越无所谓，地位与身份也就无可争议。

说到底古北不适合念书做学问，上海的红灯区和富人区都是古北的代名词。所以我们大学在远东国际广场对面终于呆不住了，到松江荒僻的农田上建了新校区，我这一届成了古北校区的最后贵族。

学弟学妹们都要做农民的，显然那对他们来说是件受益终身的事。

不过，私下里，学生们都说，那里诱惑确实少，正适合四年里静下心来谈恋爱，不知老师们听到这样的论调是否正合他们的初衷。

考试内容的最后一道分析题，需要大家用我们学的金融知识，结合现在人民币升值的话题，进行论述。

教授在阶梯教室的讲台上别着麦克风，一笔笔地在黑板上写下了人民币三个大字。又写了大一号的"升值"。想想觉得还不够，于是又用红笔画了个圈。

我坐在教室的最后一排，同学们的眼睛接二连三地朝我瞟了又瞟，我听见一切近处的窃窃私语，可是又听不清，嗡嗡作响的杂音与可以做 N 种不同解释的目光，构成了我这个人名下的所有传奇。

在去越南之前不久的清明节早上，被季媛看到了我金光闪闪的流言背后，另一种反差极大的真相之后，嗡嗡作响的流言里又多了几个可以分辨的出的名词。

小弄堂。

小弄堂。

要他们来提醒我么？我来自上海的北面，那条小弄堂？

我原本无聊地看着前排的标准号学生不停地低头记笔记，在教科书上划出红红绿绿的杠子，后排有小情侣偷偷 KISS，四个男生肆无忌惮地斗地主，有人睡觉睡得流口水。

一看到"人民币升值"，我的胸口一声惊叹。

没想到，亚历桑德成天念的经，学校里也是热点话题。美金、人民币、美国大选，全世界是一条绳子上拴的蚱蜢，息息相关。

我怎么就忘了，这个秦教授除了长得一双日本漫画里男人的细长手指之外，还是国内金融界小有名气的专家人物。

这一年如此值得纪念。我遇见了亚历桑德，还掉了所有 17 张信用卡账单，换了一张金卡，搬出了苏北弄堂，并且大学毕业在即。

已然 6 月，草长莺飞。一圈转下来，象牙塔和国际商圈讲的是同样的话题。

中国人民银行和国家外汇局新闻发言人向记者表示，中国的汇率政策是"建立更加适应市场供求变化、更加灵活的汇率形成机制"，"保持人民币汇率在合理、均衡水平上的基本稳定"，汇率改革"没有时间表"。

这是我们要注意的我国政府对此的态度。但同学们也要同时关注国际方面的信息。

比如。

根据《1988 年综合贸易与竞争力法案》，美财政部定期报告是否有国家操控汇率以获得不公平贸易优势，影响美国的资本和经常项目失衡，并采取"必要的制裁措施"。

受此法案鼓动，美国农业、制造业、金属业等几十家团体，分别组织了"公平货币联盟"和"健全美元联盟"以对他国的汇率政策进行干预。这两个组织曾多次要求美国贸易代表办公室动用 301 条款，向世界贸易组织上诉，要求对中国政府"操控"人民币汇率采取单方面制裁。

这个大家自己回去看，全书通读三遍，我知道你们很多人书到现在都是新的。考试是开卷形式。

台下一片欢呼。

秦教授原本在翻书,台下如此一惊一乍,他素着脸抬起头,把便携话筒硬生生搬过来,对准嘴巴:

你们以为开卷考容易? 大四的学生了,考了这么多年试,我就不信你们没遇到过书上没有任何一句话可以做答案的开卷考。这个问题,连专家都没有统一意见,要自圆其说不是那么容易的事。

我祝各位顺利毕业,拿到学位,但你如果只考到 59 分,我秦阳是不会拉你上 60 的。我听说你们私下封我为"十大杀手"之一,那我总得对得起这光荣称号。

话说回来,WTO 之后,我们 W 大学现在的形势很好,毕业生最吃香了,复旦交大的就业率都没我们高。

我有点得意地刮了刮自己的人造小下巴。

学校这个概念与时间无关,从我以工人阶级的闸北区第二名的成绩考进西区圣若兰女中开始。学校就成了一种概括性的记忆,坐标模糊,故事产生了黑洞。

从北区到了西区,豁然看到一些有权有势的女校同学,戏剧性地出了书,拿到一笔不算少的钱,日期就是从那时开始混乱的。

多少天。

多少月。

多少年。

日下胭脂雨上鲜。

之前的小学和初中,我是绝对的标准好学生,从没闹过绯闻,上课认真听讲积极举手发言,每天吃过我苏北祖母的菜泡饭高高兴兴走到弄堂对面的学校去上学。从不知道有上流下流之说,以为姿色和运气是狗屁,以为闸北区和静安区只是语言上的区别。

16 岁的夏天,赶着《花季雨季》的中学生出书余热出了第一本书《××童话》,自此我就成了享有小特权的学生,因为被宣传成一贯吉普赛风范,从此被叫做 J 女郎。虽然没有郭某某与韩某某的鸿运,但也从此乱七八糟,飞短流长,投机取巧,算做 80 后一族,不肯再做循规蹈矩的乖学生。在几家小报上写小资专栏,花钱雇同学替我报到和交作业,顶一节课 10 块钱，交一本作业 5 块钱。临大考必想办法和男老师关系暧昧，送女老师香水唇膏。老师们买我的账，所以一路混到大四，并无闪失。

日子过得是一种嘉年华式的华丽。锦衣，玉食，上流派对。

当然。我能赚得稿费还不足以时刻如此，码方块字毕竟和码金条相差十万八千里。

我依然住在闸北区夹在窝棚堆中的老公房里，家里没有淋浴，老鼠蟑螂随处爬行。

我只有 17 张轮换透支的信用卡可以依靠，算着最后还款日以最低还款额还进再迅速取出。由着性子做导游，把洋人们带进天价的丝绸店玉器店古董店，靠着拿回扣东墙一角西墙一角地还账单，交大学里日益昂贵的学费。

我的身后是草根之根的家庭背景，可我如此贪恋金枝玉叶的圈子。

我在极度生活的转换里濒临崩溃的边缘。

学校是流言飞舞的洞穴。

很多很多流言在 W 大学的操场、教室与食堂之间穿梭，学生、教授、校工、阿猫阿狗都听到了。

他们说我是堕落的坏女生，他们说我随身带着避孕套，做过数次人流；说我不把 MORE 当烟，要抽就是男人的万宝路；他们说我家是高官厚禄，在西郊有豪华别墅，不然那本《××童话》写得要什么没什么狗屁不如怎么就能出版了还得了文化部的全国大奖；他们说我的线性代数和财务管理是靠和男老师做身体交易才过的。

还有，他们只叫我的笔名克拉拉，没人注意我姓李，名桃桃。

他们小心翼翼地和我保持距离，小女生们视我为卡门一样的晦气人物，生怕哪天被我用小刀在脸上画十字，小男生们则怕众目睽睽下被我把唇间的玫瑰花扔在脚尖的空地上，自以为也算是可以让我抬眼看的男人。

他们揣测我，孤立我，看戏一样看我，但我什么都无所谓，我才不会开个新闻发布会来声明点什么。

我一直精密地隐藏着我住在闸北弄堂的秘密，以及，我脚上去也去不掉的老茧。

我喜欢生活在别人的揣测里，把各种臆想加载在我的头上，我喜欢同学们老师们把我当可可夏奈尔般谈。

我不热衷于非常正面的，无可非议的名声。比如我的校友们，诸如我们的前辈宋庆龄。我尊敬她们，但并不希望自己成为一个如她们一样光辉伟大的形象。

我只要成为一个复杂香艳的传奇。

男人们关注我因为我是个女人，女人嫉妒我也因为我是个女人，我的智商、学历、作品、家世等等都是对女人本身的定语。

从这个女性的角度来讲，被传言传得很坏很性感总比传言很穷很正经要好得多。

无所谓。爱谁谁。

同学们还在吃食堂里两毛钱的菜馒头和一毛五的稀饭，我的一双鞋已抵过普通学生三个月的生活费。即便是刷卡刷来的，但也穿在我的脚上。

同学们为一次学校礼堂的文艺演出而兴奋难眠，而我也许刚从城市深处的的上流鸡尾酒会出来，一手的烟抽了一半，另一手挽着 PRADA 长方软皮夹。一沓各财团高层附带手写 HANDY 号码的名片就在信用卡和现金之间放得好好的。

和阿加西聊过几句，和 MAGGIE Q 比过香肩玉背，和卫慧在 BUDDHA 吧里抢过一个德国男人，最后我赢了她。

我是看见过魔王面孔的孩子，有光环的生活让我欲罢不能。

澳门有料

　　扬·法朗索瓦口含氧气管,全身赤裸,整个人浸没在起居室中央的硕大渔缸里。

　　他的金发随水漂动,红绿迷眼的热带鱼围着他打转,兴奋地摇着尾巴,嘴巴一张一合,说着什么情话。一只脚踏在沉在水底的水晶球上,另一只脚被水草搭着,看过去是上好的一副刺青。

　　这是绝无仅有的一天,早上九点没有人来叫醒我,也没有人用法国口音的英文朝我报出今日的行程安排,信用证合同的进展,以及,穿什么衣服配什么首饰。

　　他肯定是出故障了。

　　但这故障也不似往常,一般他顶多捏一杯白兰地,坐在沙发里,从一缸鱼里挑一只惹人的,盯到眼发直。

　　今天他索性自己跳进去,化作鱼,咕嘟嘟吐着泡泡,两脚开立,张开成一个"大"字。

　　看见我,依然目光呆滞,一点不害臊。赤条条爬出来,抓了条浴衣披上,让人想起《指环王》里老是不穿衣服的咕噜。

　　徐增敏怀孕了。

　　他不知是轻描淡写,还是有气无力,说得时候声音细若游丝。一口闷下杯中剩下的半杯酒。

　　她怀孕了,所以他疯了。我明白。

　　他在手提上查了下航班,十分钟之后我们已经在去机场的路上。

　　现在我只要来一针,克拉拉,见鬼,快点给我来一针,不然我就快窒息了。

　　他紧紧攥着我的手腕，整个人像块速冻猪肉，冰箱里保鲜层的温度。

　　我揉着他的脖子，想起我曾经养过的那只猫。

　　从澳门机场出来，天已黄昏，扬去找那辆传说中新款的阿斯顿马丁Rapide，我趁机大口呼吸郊区的清新空气。

　　西班牙的没落贵族罗耀·唐·莱昂，私人沙龙设在一幢三层杏黄葡萄牙老建筑里。

　　扬在印度门卫的监视下，用手纹打开了门。

　　真正的流苏暧昧里，人影绰绰，总是隐隐听得见各种语言在呢哝软语。回廊，是男与女迂回缠绕的地方。圆弧复圆弧，一层层楼梯和波浪一样的镂空拱墙延伸到屋顶的尽头。

　　门庭里一大堆雄孔雀，远看过去犹如一团团油绿幽蓝的云朵。它们安静而充满情欲的气息，在巨大的枝形吊灯下，睡眠，拥簇，张望。

　　我们手牵手走上铺着地毯的楼梯，在偶尔的转角，撞上半裸着胸部的女人，一手扶在楼梯上，另一手正尝试把自己的脚举起来，凑到自己的嘴边。她们自娱自乐，朝我们发出肆无忌惮的笑声。

　　一个又一个布局随意的房间在楼梯边出现，从茂盛的盆景植物之间，看见男女在椅子上亲密接吻，光滑的背影上下攒动摇摆，一个亚色皮肤的女人在用铜壶里的水冲洗身体。再往上走，空气里乌烟瘴气，面色苍白的男人瘫倒在楼梯上，痉挛中，嘴角露出不可思议的陶醉。

　　我喜欢这里。

　　它这样沉浸在一种沸腾的享乐里，这种没落，这种疯狂。一种无与伦比的醉生梦死。

　　想忘却，想麻痹，再没有更好的地方。

　　找到了一间空着的套房，扬一躺下，几个五颜六色的女人很快端着洋酒进来了。

　　有人卷了一支大麻给我，我略一迟疑，还是没伸手。

我对于一些界限,总是有种天生的抵御。

扬在一边 看着我大笑,说,克拉拉,我明白了,我知道你想要什么,而你自己却不知道。

哦？是什么？

我喝口酒,撒开了一只摸上我脸的女人手,独自往角落里靠了靠。

所有的房间都没装门,从一轮又一轮老式的拱门看进去,各种景象尽收眼底。

斜对面的一间,一个女人的光滑裸背在床上上下蹿动,再一间,是一黑一白两个男人瘫软的睡姿。

我想要什么？

无聊。什么还不都一样。

我想要的东西,反正从来就得不到。

看着女人们以各种姿势陆续瘫软,扬咿咿呀呀地自语。

我听着,他开始讲起金卡的一些事情。

他曾经是很成功的商人,他手上的大客户,和他关系绝好,他们给他的订单,一批货的资金就足以造一个五星级酒店。

贝尔贡作为他的竞争对手,千方百计也撬不走他的客户。

于是他"很偶然"地遇见了季媛,他以为他们是相爱的。她看上去天真无邪,她说她是 W 大学的学生。

一段短暂而不可理喻的快乐。

她成了他最信任的助手。

而就在欧洲榉木的价格风暴前夕,她用他手头上所有的资金买下了数量惊人的库存,在出手之前,由于中国市场一窝蜂的榉木热潮,而船期却长达一个月,市价在离港和到港之间造就一落千丈。

扬·法朗索瓦破产了。

而季媛,和他的资产一起从他身边消失了。

不久,他得知他的客户成了贝尔贡的客户,而去验货的不是别人,正是木材圈子里难得一见的美女季嫒。年纪轻轻,已然是个关键人物。

扬的在塔克西斯庄园做大管家的父亲,就在听到儿子破产的那一刻,死于心脏病。

在他的倾诉里。渐渐低下了嗓子,像是落在房檐的鸽子收拢了翅膀,但他没有哭。

我起身过去吻了吻他麦田般的卷发,在金黄色的麦子之间,有种松油与杜松子酒的味道。

那么,季嫒一直在做的就是这种勾当了,是贝尔贡的一颗棋子。

她和意大利人之间,那些纯纯爱之类的屁话,到底有多少是真的?还是只为掩人耳目?

扬和他的往事一起昏睡过去,一切不过是过眼云烟,你吐一个烟圈,我用手搅散。

我听到这些,心中有些阴险的开怀。

再也没什么比抓到这个小女人的小辫子更开心的了,她那么跟我较劲,以为跟意大利秃顶男人有染就成了意大利女人了,染了头发,黄皮肤喷成亚平宁海边的太阳色,不会讲意大利文,还非要打电话来问我知不知道哪里有"LATINO"的PUB。人家路边炒货卖散装油煎蚕豆,她则贩卖散装意大利单词。

但,我也说不出为什么,在想把她剁个粉碎的憎恶里,总有一丝一丝的暧昧关切,像夜里悄然开放的昙花花蕊,垂吊在半空里,玄秘幽长。

空气里的音乐忽然有了阴郁的主调,季嫒的精致小脸被奇异的光线照亮,我在幻觉里看见了她脖子上的血印,绽放成大肚瓶口的牡丹。

我不甘心地推了推扬,脸上一定有些狰狞扭曲的神情。

你说贝尔贡是不是还有很多像季嫒这样的女人,唔?

他没有声音,睡得死过去。

我打心底里舒了口气。

手在熟睡的各色女人屁股上摸了一遍，滑溜溜的皮肤，带着温热和香气，极乐世界。

以此类推。如果我克拉拉不堪，你季媛也不比我好多少。

▶▶▶▶ 火凤凰飞过，幸福得直哆嗦

马来西亚偷来的电脑商业机密，我和扬紧锣密鼓地熬夜查看。

服务生陆续送进来的 ESSPRESO，喝空后的小瓷杯子和一打糖包已经站成了一个四角方阵，中间包着一瓶快空掉的胡椒粉。

今天扬又灌输我一条喝 SINGLE SHOT 的独家秘籍。要享受，只放三包糖。要提神醒脑，那就该放上占小杯子四分之一体积的胡椒粉。让麻辣辛苦得液体从嘴唇、牙龈、舌头、喉管，一路刺激下去，包你干什么都有劲。

他拷了一部分英文文档过去，我们背对背坐在床上，裹着同一条毯子折磨着各自的手提电脑。有时我歇口气，闭上眼睛把脑袋仰过去，枕在他的肩上。他脖子后面刚长出来的头发茬搔得我好痒。

我们已经渐渐习惯彼此。抚摸，陪伴，不占有，不吃醋，不隐瞒。

他记得我告诉过他，我喜欢有人摸摸我的耳垂。我的耳垂也许不是天生这么肥肥厚厚的，中国人都说耳垂肥厚的人命好，我大概是想要把苦命变成好命，所以告诉别人我喜欢有人来摸我的耳垂。

很多印尼文的文档，我从当地买印尼文与英文的双解大字典，戴上眼镜，翻译得头昏眼花。

想想我念书考试也没这么勤快地查过字典，为了德国鬼子的生意

竟然又刻苦又努力，不单为给亚历桑德一个交待，也为我自己，我若真把福祥木业做得有模有样，任凭谁也不能看轻我，要是谁说是亚历桑德在养我，我非把各色合同抖出来让大家看。

这一辈子我也还可以对自己说，我克拉拉是自食其力，所有一切都是我辛辛苦苦挣来的。

OUTLOOK 里，确实有两家马来西亚的工厂在询价。

一家是做榉木楼梯扶手的，另一家是做出口到欧美去的木制勺子铲子的。这种小东西用的量并不大，平均每个厂一个月能消耗两个 40 尺的集装箱就不错了。

我和扬天一亮就打电话去约见，能在大马先拿下几个柜的订单，毕竟也意味着我们开张就有收获。

文档一个个点开，又一个个关闭，读得费劲又无聊。最后有的是订购橡胶木的，有的是巴西花梨的，还有人造板 MDF 和什么乱七八糟的小项目。我断定这个花衬衫是个中间商，赚佣金的，和马特一样，所以什么都卖，并不专门做榉木。

我开始感觉到超级女生海选时那些评委的心情，一个个小女生走过场，你知道她们没戏但又不能打瞌睡，就那么耐着性子撑开眼睛，半昏迷半神仙状态地坐着，等奇迹。可奇迹总是不够普及。

我撑着眼睛，海选着这些超级文件，眼睛盯着荧光屏开始又涩又干，快要成烈阳下的沙漠了。门外有个人在云顶赌场里输了大钱，哭得撕心裂肺。

可怜我在这里连哭的兴趣都没有。

忽然，一个图片文件像红衣教主上场一样，我一打开，一下就蒙了，揉揉眼睛，再看了一遍，这才意识到我看见了什么。

一张扫描的证书。

长城与五环的图标。

CHINESE OLYMPIC COMMITTEE 字样

深圳火凤凰家具有限公司:

根据双方所签中奥开发字[2002]101号协议之规定,特授权贵公司在家具产品的宣传中使用下列徽记、称号和专用标志:

中国奥委会专用徽记。

中国体育代表团专用标志。

"中国奥委会供应商"和"中国奥委会正式供应商"称号。

"中国奥委会惟一家具专用产品"称号。

"第28届奥运会中国代表团惟一专用家具产品"称号。

"第28届奥运会中国代表团惟一专用家具产品供应商"称号。

上述徽记、称号和专用标志的使用权在家具类产品中具有惟一性。

使用期:2002年7月1日至2004年12月31日。

签章:中国奥委会市场开发委员会

2002年6月28日

看着铺满屏幕的这张证书,我幸福得直哆嗦。这哆嗦很快传染了扬,转过身来,他隔着毯子搂着我,我们一同被红色的长城与五环标志照耀着,像有条火凤凰正飞过高空,我们的脸颊时被她翅膀燃烧的火光照亮。

原来新闻里讲的"一家深圳工厂"就是这家火凤凰。

我开始在剩下的OUTLOOK历史邮件里搜索火凤凰的资料,果不其然,他们有新的榉木原木订单,正在询价。虽然量并不如我们想象的那么大,但我相信之后应该会有长期的稳定的订单。

可是,为什么使用期到2004年12月31日就结束了呢? 这之后奥委会的所有准备工作就结束了吗?

扬用手指着使用期的一栏,眉头打了个 8 字绳结。

而我却如释重负,根本想不了那么多。

马特那间布满变态春宫图的房间,到此我以为总算可以灭了它了。

>>>> 淤青玩偶

LE NOIR 咖啡店的天花板上有盏猩红的灯。

季媛裹着银狐搭扣围领走进来, 贝壳灰的人鱼裙, 配无跟浅口 MOSCHINO,鞋尖上飞着一对夏阳色的蝴蝶。她立定,在猩红灯下一扭胯,再酷毙地把 GUCCI 太阳眼镜推到头上,这才朝我藏身的桌子走过来。

我看她那架势,迅速把手上方方大大的红宝石戒指转了半圈,只剩白金的戒指朝着外面,宝石转进手心里,生怕被别人看见。

这样一个绝大多数人在 OFFICE 里拼命的时间,周一的下午,两个年纪轻轻又漂亮的女孩子坐进这间贵得出名的餐厅里,如果在一个脖子上裹着优质银狐皮围领,另一个手上闪着 10 卡拉以上的红宝石戒指的,似乎是硬要朝众人宣告,我们是喜宝,我们傍了大款,从此招摇。

你热不热,什么天气了还裹这个。我当然要揶揄她。

她才不搭我的话头,她上次别墅派对上的隐隐感怀在今日的光天化日之下再也看不到了。好像那个拉着我的手观看热带鱼的瞬间只是幻觉。

她径自偏腿坐下来,PRADA 最新款的小拎包啪的一声躺在桌子中央。

MENU！她要。

她的声音既腻而尖细。她一个眼神甩出去，像美国西部牛仔朝奔跑的野马甩出的绳套，正中不停穿梭在厅堂里的英俊WAITER。

我冷眼看她在我面前又一次耍起大牌来，自己把一块薰衣草起司蛋糕一勺勺喂进嘴里，三口解决了一杯康宝蓝。

季媛低头开始看MENU的时候，她名贵的银狐皮在她细节动人的招摇摆动里，忽然间搭扣松了。

裹领朝后反弹而去，我抬眼，正对着一片形迹可疑的淤青，甚至在胸口，有一寸长的三道细细刀疤。从上到下，依次可能因为时间关系，颜色从黑褐演变到嫩红。

季媛的生硬傲慢忽然有点惊慌，看着我的眼神里急切想探究我到底注意到她的那一块没有。

我早已顾左右，看其他。但心里忽然间有了说不出的猜疑。我想起在澳门时扬说过的历史，还有，亚历桑德特地在我来见季媛之前关照我，我涉足生意的事情，千万不能让季媛知道。这样一想，我心中似曾相识的不祥又恹恹升起。

我仔细看着她涂了很厚粉底又用腮红扑得粉粉的脸，有点好奇，她的真实脸色此刻到底是怎样的。

一个白人少妇这时推着婴儿车进来，正好充当了海绵吸收了我们之间的尴尬气氛。

她在我们临近的桌子坐下，然后把双胞胎的金发小男孩抱下车，放在地上。纯种的西方孩子们照例有着清淡奶香的，眼睛滚圆，湖绿色的，在地上笨笨地爬着，发出精灵般的笑声。

其中的一个爬到我的腿边，小手开始拍打我的小腿。金色麦田般的头发，薄到透明的皮肤，挺括的小鼻子……将来肯定是我着迷的那种西方帅哥。我忍不住大幅度地俯下身去，亲吻他明亮的额头。

金发少妇拿着端着一杯牛奶和一杯芒果冰沙正转过身来，我的嘴唇正从宝宝额头离开。

她生硬地开始招呼她的孩子：回来，回来！

然后她几乎是用一种怨毒的眼色扫了一眼我和季媛，把孩子拎回了婴儿车。

季媛已经重新扣好了她的搭扣，把她脖子上那一块痕迹掩饰好了，顺便重新换上不可一世的大小姐派头。

她瞥了白人女人一眼，发出上海小女人经典的那种感叹词：

噢——呦！第种外国女宁顶撮气咯，伊当伊多少了伐起，个搜伊拉男宁还不是要行中国小姑娘寻开心。

这顿牢骚显然比那声 MENU 说得好，我举双手赞成。

现在不止西方女人对中国女人满是敌意，就连什么黑人女人，东南亚的女人，只要没有中国血统的都自我感觉好得不得了。就连中国女人本身也发现了自己的尴尬国际形象，在国外长大的要渲染这种背景，没有的话在国外念书的经历也可以，再没有，会口口声声说自己怎么周游列国。

不知从什么时候开始，西方男人私底下都在说，说这世界上最开放的女人已经不是法国女人，不是意大利女人，不是布宜诺斯艾利斯街头的 TANGO 女郎，而是中国女人。

中国女人里又属上海女人最以吊老外为最高信仰的。

和老外有一夜情也是荣耀的，如果是固定的情人，那更成佳话。如若更进一步，是正式的女友，那就整个亲朋好友都觉得她了不得。再像捡到皮夹子一样，一朝成为某某夫人，绝对算是人生一大里程碑。

中国的改革开放环境里，男人女人，只要是中国人都是要冲出国门走向世界的。带个"外"字的，就是有腔调又有格调。而且越是穿旗袍肚兜不染头发不烫卷的越是动着这样的心思。穿 T 恤牛仔染黄毛的丫头们倒未必这么厉害。

仿佛这已是世界上众人皆知的秘密。

所以别的国家的女人都有了点笑话中国女人的权利，她们知道中国女人穿旗袍梳长直发的传统外表下，骨子里是不惜一切要"对外开放"的，出国留学说到底还是在华人圈子里混，到头来也算不上什么进入了洋人的圈子，只有依着西方的男人，才能真正走进他们的中心地带里。

狐香圈子里的都相信，没和洋人有过肌肤之亲的，再怎么会吃西餐喝咖啡溜英文都算不上洋派。

中国女人现在在西方社会的某种程度上已经成为一个极为尴尬的词。

那又怎样，西方男人还不是喜欢中国女人毛孔细到看不见的皮肤，手一插可以顺道底的乌黑直发。

身置于此，在这个狐香的圈子里。

浓烈的古龙水，陌生的笑容，他们的语言，他们的欲望，在温暖的蓝调与红酒流溢的酒杯里，在他们烫得笔挺的包括内衣在内的每一件衣服里，在他们时而无辜的如树碧绿的眼睛里，我们不能自已地沉寂。

CUPCCINO。

又一个发音异常准确的单词从她那边喷出来，打断了我突如其来的对自己置身于此的圈子的概括。

又是这种某些被各种小资言谈定位成有腔调的名字。亏她跟了贝尔贡还不知道，这卡普奇诺在意大利就是90分币站在露天地里几口喝完的廉价货。只有台湾的小女人文章会通篇写在咖啡馆的午后，怎样用一杯卡普奇诺想心事，完全的文艺腔。如果这女人还叫一份提拉米苏，那我就要强忍着去厕所呕吐一番的生理反应来维持我的端庄了。

我的美丽的喝卡普奇诺的季媛在叫过了所有很文艺很有腔调的名词之后，这才开始打量今天坐在她面前的同校同级又身在同一个洋人圈子里的大四女生穿了什么行头来拼她。

我还是穿了制衣的法国女人萨尔妮定制的套装。扬·法朗索瓦说的对，CHANEL是法国骨感纤长的女人穿的，虽然声名赫赫，但不适合我。法国女装里的卡尔文才FIT我这种三料个子。但国内又买不到，就找裁缝定制。

她放肆地打量我，样子很像百货商场里的上海小市民中年妇女要朝你兜售什么的时候。

她大约看出我这一身黄绿及膝裙虽简单但绝对不是便宜货，于是就沉默着没说什么，只是用手理了理银狐裹领。

她其实大可不必这样提示我，银狐的毛色愈白愈贵，况且她这一袭均匀又看不出接缝，我一眼便知是上等货色。但她的脸在银狐毛的白光里惨白憔悴，额上的刘海也有点不自然地想掩盖什么，我不知她自己对这个有没有感知。

我完全可以把手上的戒指转了圈，把红宝石朝着她，但我已经过了那个阶段。

论我现在吃的穿的用的，亚历桑德的家世能给予我的，便是贝克汉姆能给辣妹的也不过而而。

我很希望我和季媛能和平共处，互利互助。

从越南海防的夏天开始我们已经界限模糊，成了游离在东方与西方边缘世界的暧昧女子。

不穿乳罩，洒着毒香，披着长发，刷着唇蜜。

我们在人群里如此容易地被辨认。中国男人爱温良贤惠，西方男人爱精致妖媚。我们如此的打扮已经合不了中国男人的口味，所以只剩下在西方男人的圈子里周旋。

旋如蝶舞也好，如热锅蚂蚁也好，如尿急的狗狗也罢，反正周旋，再周旋，在自己还旋得动的时候，做一场或明或暗的交易，挣得盈年里取用的银两。

把青春典当给冷暖自知的办公室也好，交给这一刻钟情于自己的有钱男人也罢，到头来并无本质区别。

明明就是彼此彼此，势均力敌，有什么好比的，不如做对好姐妹，同心协力在这个狐香之圈里混下去罢了。

说到底我们更像是彼此的玩偶，我们因为身在特殊的圈子里而寂寞，只有彼此为伴。

比吃比喝比风情，都是小游戏。

克拉拉，我来其实有事相告。她故意欲扬先抑地停了一下。

我的直觉突如其来，她今天有备而来，要宣布什么重大新闻。我的心脏不知怎么忽然怦怦跳，垂下眼睛摆弄桌子上的香烟缸。

贝尔贡下周要和老婆办离婚手续了，她一字一顿地说。

我不大明显地顿了顿正在嚼一块冰的嘴，尽管迅速到不易察觉，但她一定看在眼里，并知道她的这句话是有杀伤力的。

这下，也就是说，我们不再彼此彼此，势均力敌了。

这不是钱或物质的问题，这是本质问题。

她一下子要"转正"了，而我还是个苟且的小情人。

这就是本质区别。

我嘴里说着好极了，我们好姊妹当然要来喝喜酒的，何况我的红包也早早准备好了。

但我的心像是一条毛巾被奋力拧干时的难过，嫉妒、厌恶、诅咒，种种都涌上来。这似乎是被所有的物质稀释得感觉不到的暗疮。刚才关于她脖子上的一块淤青的猜忌也顷刻间变得可笑起来。

以前看着圈子里有这么个同样情况又同龄的女子在，自己就算知道这个角色的诸多可耻之处，但有人作伴，也就不觉得怎样。现在，她是正式的女朋友了，也可能即刻就成了贝尔贡的夫人，只留我一个人，狐假虎威地周旋着，不知哪一天天崩地裂，我是不是又要住回我在闸北区的小弄堂里去。

我忽然刺痛着，发现自己并不如我假想那样拿得起放得下。

也许，很快她就不需要我这个玩偶了。什么你露肩膀我露背，还是你带乳贴我干脆里面什么都不穿，一切都不需要了。她以后就算只穿粗布粗衣出席宴会，也比我盛装的克拉拉受人尊敬。

就算贝尔贡不能给她吃晚餐时穿燕尾服伺候左右的侍卫，给不了她助兴表演的小舞台，不可能雇昂贵的法国裁缝给她定制衣服，但，她就是到此为止也高我一等了。

她有权指着我的鼻子说话，然后发出像她刚才说起西方女人时的腔调发出"噢——呦——"的绵长感叹，后面往火车头后挂车厢似地挂上一长串难听的话。

她要去和其他意大利的太太小姐们一起到地中海的沙滩上晒日光浴，在家里带孩子烫衣服了。她肯定学会了煎血淋淋的小羊排，用特制精巧的咖啡壶煮 ESSPRESO，用整个下午在 ESSELUNGA 超级市场里买巴玛干酪和意大利西红柿。

她的 22 岁就要以另一种方式敲定下来了，带着一个意大利男人的姓氏，而不是我克拉拉这般的狐假虎威。

就算亚历桑德刚送给我一艘豪华游艇奖励马来西亚的订单，正停在地中海的 ANTIBES 俱乐部码头，香草色的船身外镶着施华洛士奇的水晶，用红宝石一块块地拼出我的名字，甲板上六角形超大按摩浴缸前有自动升降的投影屏幕，储藏室里 2000 瓶上等美酒与 1000 瓶龙舌兰就绪……可到头来，就是抵不过一个×××夫人的名号。

我发疯地希望我是克拉拉·冯·塔克西斯夫人。这个名字是我的佛，我要燃香祈拜。

这方面，乔治·科鲁尼之类的坚定美国式不婚者是不信的，而我显然就爱着这一口，无可救药。

看着我的同校同龄女生摇摇拽拽地走到路边，趾高气扬地又蹦出一个英文单词：TAXI。

我独自转过身。我仿佛又一次看见了在亚历桑德的皇宫里，那个刚睡过午觉的红发女人。

我想要什么？

我想要的东西，注定了就是得不到。

风很热，太阳掉在地上，碎成无数小光圈。

我的脸上一片阴湿斑马纹。

▶▶▶ 绿光

美容师的小指肚在我的脸颊上嘣嘣轻拍,冷喷器唑唑的声音绕耳三周,脆弱的诅咒靡音,像是一条毒蛇在我的头顶上方吐着长舌头。

我赤身裸体地躺着,在丝毯下不自觉地抚摸着自己,眼微合,尽情享受两个女人之间的肌肤之亲,她的手指有种葡萄柚果实的味道,准确地从一个穴位移动到另一个穴位,我的大脑里游进一条鱼,搅得我六神无主。

毒蛇的眼睛发着绿光,渐渐移近,一张古怪的三角蛇脸,潜移默化,在离我近得不能再近的刹那,清晰地变作我自己的大圆脸,眉眼纤细上挑,馋兮兮地盯着我自己的双唇,仿佛随时会吻上来似的。

那绿光,一种在饥饿或饥渴状态下才有的幽幽暗光,看得我有点慌。

美容师说:你最近皮肤很干,黑眼圈也重,连续给你作保湿护理也没改善。还有,你最近有点掉头发,你看,这里又有两根。

我抚摸着自己干燥起屑的身体,中指寂寞地玩着自己的肚脐眼。

半梦半醒中,我的耳朵听见自己的嘴巴说,我已经一个半月没碰过男人了,好可怜。

6月一下子见了底,我的日耳曼情人回老家已经一个半月了。

天气变得燥热不安,人更甚之。

我开始害怕夜晚降临,去健身房的次数多起来。

有时我看见晚上约会的大好时光里,那么多人选择孤独地在跑步机上原地奔跑,挥汗如雨,亦或,像我一样,绕着一块10厘米高的踏板,旋转曼波,托臂小跳,KICK绕板,是不是都有某种饥渴的成分在里面。在健身房把自己弄累,回家就可以倒头大睡,不再被黑夜深处腥甜的味道抓去折磨。

我在落地镜前观察自己,在手机发亮的金属壳子上,在热可可平静的表面上,我不断看见自己眼中的绿光。

那首叫"绿光"的歌,我现在每次听来,竟可以听出另一种符合我自己心意的解释。

我也不是真的对性饥渴,大多数女性在三十岁之前很难真的饥渴起来,我的意思是,如果她不在爱里。随便是亚历桑德还是情人 A、B、C、D、E、F,我 ENJOY 所有和男人的身体接触,也 ENJOY 他们高潮时的表现,但我自己并不确定,我到底饥渴什么。

我只需要我的床上有老外男人,需要我的皮肤被散发着雄性磁场的手指和身体抚摸,我的生理健康和各种自然习性全都需要这个。

男人的吻是最有效的润唇膏。

男人的抚摸是最好的润肤露。

男人的体温是最好的空调。

有爱可做的女人不需要用香水就好闻。

和男人在一起的日子,面色红润,不便秘,不生胃病,不脱发,不生暗疮。

我在无人的夜里,穿着绿云肚兜独自坐在客厅里,把塔克西斯家族工厂的 DV 放进立体影院里,一遍遍观看投影布上亚历桑德的画面。

是工厂的广告片,但我把它当 A 片来看。

我的日耳曼情人。我有多久没和你在浴室里念过《圣经》了。

镜头对准你红润饱满的脸庞,我要亲亲你的额头,把鼻子埋进你咖啡色的头发间。你在发言,嘴唇柔软,如果用来亲吻我的锁骨会是多么美妙。你的手指正在操作全工厂的总电脑,我记得它们灵巧而有力地爬行在我的身上,让我的血液倒流,颤抖不停。你穿着黑西装一副老板派头也没用,我依然看得见你骨骼粗大的健硕裸体,胸前的体毛摊开成一片芭蕉树叶的形状。

塔克西斯侯爵，在你的余生里，克拉拉如此寂寞。

时间失去了水分，凝固成透明的空壳，什么味道都没有。

我的 22 岁为什么只有雌激素没有荷尔蒙。

 >>>>> 毕业典礼

BLINK—182 的朋克乐在唱片机里转了一夜，满地碎薯片和 PIZZA 屑子，很久没参加这种留学生的朋克派对，玩起来却是比正儿八经的上流圈子来得尽兴。

扬搂着一个阿根廷女生歪在墙角的地毯上睡得正香。里间的门开着，横着两条多毛儿诡异的腿，像两支曲在烟缸里摆着 V 字 POSE 的香烟。

派对过后的清晨，总是这样。涣散的瞳孔，流离的脑髓，没有出路的颓废。

我头痛欲裂地醒来，手机上有人在零晨 3 点时竟然想到发短消息给我，通风报信说，上午 10 点是学校的毕业典礼。

我一骨碌跳下床来，无头苍蝇一样蹿进卫生间，没有找到任何可用的牙刷。好吧，我再打开冰箱，除了酒别想找到任何填肚子的东西。我勉为其难地抿了两口薄荷酒。

醒了。

什么？毕业典礼？

这么说，我从网上下载的毕业论文顺利搞定了教授，最后几个学分随便瞎涂的考卷也过关了。

我要成为什么来着。现在，我宣布你成为克拉拉学士。

没有时间回家换衣服了,我套着狂欢后皱巴巴的夜礼服,没刷牙没洗脸,去停车场发动了我的跑车。

顺顺当当开过几个路口,一直有点魂不守舍,左思右想,总觉得忘了做什么重要事情似的。

一个刹车,整个人一摇,忽然就想起我的小冤家来了。

我要不是有人通风报信怎么知道今天要毕业典礼呢。那她知道么?出来混的人过着混世魔王的日子,学校里的事情山高水远,哪里知道漫漫无际的肥皂剧已经到了大结局的时候。

人活一辈子,大学毕业典礼就这一次。她要是错过了,就再也补不回来了。谁不是从小学开始一路大考小考,就等着穿上学士袍戴上学士帽,捧过证书的那一刻呢。

我拿起手机,开始翻她的号码。

可是,回过头来想想,她又不曾对我好,她在学校里和我争风头,发现我住在小弄堂里就马上四处广播,她朝我炫耀她要成为贝尔贡的妻子了,她炫耀她在生意上的业绩,以为我就是个不用大脑的小母狗。

现在我要让她也难过一下,有何不可。

冤有头,债有主,总要把账算清楚的。

我这样一来,又把手机合上,扔到了副驾驶的位子上。

不过一直心里痒痒的,朝手机溜了一眼又一眼。

通知她,不通知她。通知吧,不通知吧。

SIGH。我投降,还是重新拿起了手机。

她喉咙沙沙地接起来,一听就是睡得正香。全城的年轻人好像昨夜都狂欢去也。

旁边有个男人的声音,也是半梦半醒间含含混混地招呼了一声:MELANIE!几点了?

我不带任何感情地告诉她毕业典礼的时间,在挂断的同时,长长地呼出一口气。

MELANIE,MELANIE!

我扭开调频听上海 DJ 喜欢放的伪爵士蓝调，北京 DJ 用内地地下乐队的口水朋克装愤怒。生活就这么无聊的搞笑。

瞧一瞧来看一看，季媛身边床上的男人会还没完全清醒时讲中文"几点了"？她的亲爱的贝尔贡国语水平难不成就这么几天就进步神速？她不是和意大利人爱得那么深那么重么，怎么床上还睡着个讲中文的男人。

呀——哈。呀——哈哈。

去学生处付了 200 块押金，领到一套气味可疑的学士服和学士帽。然后问那个年轻女老师，在哪里拍照？她盯着我的一身夜礼服和脚上的蛇皮舞鞋的目光闪烁不定：

咦？你没有同学和老师吗？想和谁一起拍就一起拍，学校不管的。只要典礼开始前还回来就可以了。

我点点头，没说话，识趣地抱着衣服走出来。

坐在台阶上，把包里的一支笔当香烟一样叼在嘴里，看着同学们三五成群地穿着大袍子合影，在草地上摆出父母那代人喜欢的"她在丛中笑"姿势。一时想起，我的大学四年和他们的之间是严重的文化休克。

他们的笑容清新，纯净得像刚用薄荷味的高露洁牙膏刷了牙，即便大四的女孩子们为面试去烫卷了头发，化了生硬的彩妆，但眉宇之间，依然是不经世事的。

他们在我面前来回走动，男生们依然带着好奇的眼神打量我，夹带着一些有点想邀我合影的蠢蠢欲动。

今天，这一刻，我如此希望有人能向我走来，和我说说孩子话，说说教授的掌故和寝室里的小事情。

外面的世界啊，我在外面呆得太久了。

可是一条街无形地隔在我们之间，像处女膜，破与不破天壤之别。

男生们终于还是没有朝我走过来，他们都早早知道我是坏女生，包里随时掏得出避孕套的。

我继续咬着我的笔，把手撑在后面的台阶上，仰头看看天空。天空再怎样变，阴天阴灰色，晚霞玫瑰色，人们还是说天空是蓝的。宿舍楼边的栀子花，花开是栀子香，栀子不开，还是香。很多时候，生活只是一种遗留的印象。你遗留了一些什么，别人就默认了一些什么。

啪。啪。啪。

谁在我身边兴高采烈地拍着手，我收回视线，小冤家季媛就在眼前。她显然也没洗脸，一颗眼屎粘在睫毛上，头发乱七八糟地被发夹拢在后脑勺上。

我指指里面的办公室，要她进去领衣服。然后我把我的学士袍套在了我的小礼裙外面，扣上了我的方帽子。

十分钟后，季媛把我头上的帽子扶正了30度。我则抬手揩掉了她眼角的那块眼屎。我们心照不宣地拿出带摄像头的手机，再四下张望了一次，没有别人想和我们合影留念，于是我们只能搂过彼此的肩膀，心中一片沙漠孤烟飘过，无处话说的凄凉。

对准镜头。

1,2,3,CHEERS。

咔嚓。

我的小冤家心满意足地去把衣服还了。她潇洒得决绝，目标明确，虚假的形式从来就不大在意。

而我，最终还是拗不过自己，生拉硬拽地和几个路过的同学和教授合了影。即便别人神情尴尬，我却对这些形式上的完满格外在意。

童年时有没有过一件粉红色的公主裙。

小学时肩膀上别没别过班干部的红杠杠。

中学里有没有放学后在巷口等我的临班男生。

大学毕业有没有穿过学士服，有没有和同学的留影。

在拿过证书的刹那，有没有心中惦念的那个男人朝你微笑致意。

有一些世俗的小快乐，我始终无法舍弃，而也始终无法彻底拥有。这些，似乎是一种诅咒降生在我的身上，我竭尽全力，但终究无法完全。

嘿，也许并不尽然。

在我从校长手中接过学士学位证书之后，台下开始风吹草丛般，渐渐传过一阵骚动。

我转过身，看向礼堂的尽头。

一个健壮高大的日尔曼男人，另一个精致细巧的法国 DANDDY 男人，正以他们的招牌姿势出现。

他们朝我挥挥手。

我朝他们点点头。

这一刻。

东风夜放花千树。满心满肺。

>>>> 疯人

一辆敞篷电瓶车等在瑞金宾馆大堂楼前，我和亚历桑德坐上去，朝白制服的司机点点头，电瓶车慢慢横穿行在布局精巧的老别墅花园。傍晚的上海，屋顶上淡淡一层铂金色的浮光，朝那些夜里的生龙活虎，那些飞驰的电子乐与场子里带着长尾巴的高跷人偶，有着 30 度仰角的视差。

我摸摸自己的头，在头颅之下，右脑的某块地方，正突突跳个不停，翻手，再用手背拭额头。低烧不退。

有个研究这个的朋友说，疯人院里的人，都是这种低烧而脑子常年兴奋乱跳的。

我是没进疯人院的疯子。

起码今天有点。

从亚历桑德出人意料地出现在我的毕业典礼开始，我的体内就像精子和卵子碰撞后一样,匿藏了一个不可思议的力量。

我接过我的毕业证书和学士学位,穿着狼狈的前夜遗留在身上的夜礼服,从大礼堂的台上一跃而下,一路狂奔向我的两个洋鬼子。

身后一片唏嘘不已。在狂奔中,所有我的过往自行做成了一套幻灯片,像《罗拉快跑》里人物偶然成就的命运。

没有洋娃娃的棚户区童年。

没有胸罩的青春期。

用16岁的第一笔稿费在波特曼酒店开了一间套房,看着窗外的南京西路开始难以自持地大哭大笑。

包里随时有避孕套的大学生活。

拿到了国际导游的接待单,成为离网球明星、娱乐红人、跨国企业高层最近的人。

开始买一线品牌的鞋子衣服,成为顶级会所的成员。

17张透支到极限的信用卡。

N个不同国籍与肤色的情人。

越南海防,遇见亚历桑德·冯·土恩温特塔克西斯侯爵……

看看自己一步步的转机与攀爬,我有点鬼迷心窍的张狂。那种像是沼泽里滋滋作响的某个胚胎一样,随时要跳出来一个怪物。

和亚历桑德回瑞金的套房里换衣服,之后出来在走廊里遇见清洁工,两个更年期的上海老女人看了我一眼,互相嘀咕了两句,随后在我身后发出了古怪而刺耳的笑声。

按道理,这笑声我也不是第一次听见。

但这一天,我的低烧与突突乱跳的大脑却对此反映剧烈。

我在电梯即将闭合的刹那,撇下亚历桑德,一步跨出来,跑回清洁工面前:你们笑什么? 再笑一个试试!

两个老女人愣了半晌,低头,从牙缝里挤出"喊"的不屑声音。

这一声,彻底点着了导火线,我一巴掌扇在其中一个的脸上,她倒退了一步,把装满物品的推车撞翻了,一次性牙膏牙刷香皂木梳撒了一地。

我学着她们刚才的样子,"切"了一声,转身走人。

亚历桑德早已到了楼下。

他在讲电话,在结尾的时候,拧着一条眉毛,说,那就这样吧,我祝你好运,但显然我工厂里的板材再也不会出现在你的仓库里。

我对他笑笑,说忘了东西在房间里,心里一团火噼啪烧着没法熄灭。

他漫不经心地点了点头。

我对他刚才拧着眉毛的样子有点怕,认识他到现在,从没看到过他的脸上有这种狡狯残忍的表情。

怎么了? 我试探着问。

他魂不守舍地摇摇头。

晚饭去新天地T8,挑着菜单上最贵的点了一桌子酒菜,我并不饿只是看着,觉得我能这样挥霍本身足以填饱肚子。

亚历桑德独自吃了几口,这才说起,刚才是他最大的波兰客户在耍手腕,换了平时,他肯定不会这样生硬治气,可忽然今天不想多啰唆,只想痛快地说出来,这生意不做就不做没什么好啰唆。

他举起酒杯:来,克拉拉,为我今天丢了最大榉木板材客户干杯。

我端起杯子和他碰了一下,为了只跌不涨的美金。

糟糕的一天。

仰头一饮而尽。

电视屏幕上出现了《老友记》的宣传片段,我对亚历桑德说,这是我最喜欢的肥皂剧,那么傻那么简单,睡不着的时候看几段,哈哈一笑,就一夜好梦了。至今我已从头到尾看了 51 遍,你相信么?

可是他继续今天魂不守舍的状态,对我所说的没有任何回应。

我捂着突突乱跳的脑袋扬手叫 WAITER,可是见鬼了,那 WAITER 今天也故意装作没看见我。

等我走过去,他明明站在那儿没事儿干,却说手头正忙,等会儿再说。

而亚历桑德一叫他,他马上满脸堆笑地过来伺候了。

我忽然觉得自己如此被看轻,被忽略,宾馆里老阿姨的嘴脸,饭店里服务生的怠慢,统统加在一起,难道我所做的一切都是毫无意义的吗?

我是克拉拉,我非要你们知道我是谁不可。

当 WAITER 手捧香槟上来,我使出浑身力气,操起酒瓶朝桌子上一砸,一声巨响,玻璃与酒顷刻四溅,顷刻间 WAITER 的手上被弹到的碎片划开了口子,血色殷殷。

我才不管。

把手中剩下的半寸瓶子狠狠朝桌子上一丢,我接着继续把盘子一个一个摔在地上。哐啷。哐啷,咚咚锵。

我在疯狂中仰头冷笑,对服务生说:你不是忙吗? 你现在该忙了,他妈的弯腰去收拾吧。

甩头走人。这一刻的大义凛然,似是死也不怕。

亚历桑德在里面耽搁了一小会儿,很快也出来了。

他闷声不响地走在我身后,隔着一段距离。

夜色变得混浊,我们头发湿漉,躁动不安。从淮海路一路保持着距离与沉默走着,一直走,走到瑞金宾馆里。

我开始有点害怕,我忽然觉得亚历桑德可能觉得我今天的这一场是不可饶恕的,他是不是会就此让我离开,是不是我要回到我那苏北窝子里去了?

我不怕，我不怕他离开，因为我不贪他的钱。我用一个男人的钱，前提是我们彼此吸引被依恋，依恋到他把一切放在我的手心上，我不喜欢的男人是求我我也不用他们半个子儿的。从某种程度上来说，我用一个男人的钱，是对他最大的恭维。

　　我在激动难平中格外清晰地对自己说话，在十字路口，车辆在我身边两公分的地方戛然刹住，司机伸出头来破口大骂，我打开钱包抓出一把硬币朝他脸上甩过去。

　　我是神经病，别惹我，我杀人不犯法。我是小老婆，别惹我，我反正是臭不要脸的。

　　我大步流星地走在热闹的街上，无法自持地朝前方奋力挥舞着拳头，在大卡车呼啸而过时，跟着喇叭一起尖叫。

　　啊……

　　啊……

　　就在我觉得颠得喘不过气来时，从我身后响起了重重的跑步声，没等我回过神来，有人一脚狠狠地踹在了我的屁股上，力道之大，让我禁不住朝前冲出去两步。

　　一回头，看见痉挛变形的亚历桑德的脸，我从这一脚的冲劲中缓过神来，一下子哭了。

　　你他妈的竟然踢了我?! 我气急了干脆对着德国鬼子骂中文，才不管他听懂不懂，浑身瑟瑟发抖，血一下子冲了上来。

　　我觉得你今天的行为太可笑了，他极力克制着声音。

　　我要赖，干脆一下子坐在地上，呜咽演变成号啕大哭，今天以往的怨气全都发泄出来。

　　亚历桑德忍无可忍地咆哮起来，在我的哭声里吼：克拉拉，你今天到底想干什么？我就不能有心情不好的时候吗？我要担心的事情太多了，我也是人……

　　可是，今天宾馆里的女佣嘲笑我，服务生不理我，连你也不听我说话，我在告诉你我最喜欢的电视，你根本没听我说话。这世界上还有人听我讲话吗？还有吗？

在几分钟里，我们自顾自地大声喊着。我用中文大呼小叫，他用德文不断咆哮，人只有在用母语的时候，才能抒发最原始的情感。

开始有人围观。在我们身边圈起了一个大圆圈。

我们之间谁也没听见谁。

中文德文德文中文。粗话气话违心话真心话。

不知那样互相吼了多久，在渐渐平息的夏燥里，他一把弯腰把我从地上抱起来，冲出路人的包围圈，慢慢往酒店走。

克拉拉，你是我一生中惟一吼过踢过的人，因为我相信你看得到我的内心。

我不怕你记恨，因为我们之间如此亲近，近到看得见经络血管。

我百感交集，无言以对。

▶▶▶▶ 假婚假礼

扬·法朗索瓦在劫难逃。果然。

在我拿到学士学位的前一天，也就是我陪扬去鬼混的那一天，徐增敏宣布有了孩子。至于是不是扬·法朗索瓦的，那就天知地知了。

像扬·法朗索瓦这样臭美的人终于胡子拉碴示人，不过立场坚定，坚决不肯和她结婚。

徐增敏不依不挠，她声称自己的健康状况若流产将后患无穷，她不强求一纸婚书，但求一场盛大婚礼，并要两个人对秀之背后的真相守口如瓶。

她确实如自己所说，只要结个婚给各位看官个交待。

我们扬·法朗索瓦长得帅，又是西方白人的血统，加上她对外宣称是欧洲的少壮派大老板，对破产的事连圈子里的人都讳莫如深，外界看来，我们扬·法朗索瓦当然是金玉其外的。不知根知底的人，自然要羡慕上三生三世。

看在肚子里孩子的份儿上，或者不如说看在上帝的份上，扬·法朗索瓦虽然心里一千万个不愿意，最终还是答应了，配合徐增敏做一场盛大婚礼秀。

秀是从婚纱照开始做起来的。

徐增敏不出意外地挑了巴黎婚纱。

没半点法国基因的台湾影楼，深谙上海这个城市的精神脊髓，取了巴黎婚纱的名字，不知迎合了多少小资人士的梦想。

很多女子在拿出装帧华美的水晶相册时，如果能加一句，巴黎婚纱拍的，那么笑容里也会多加几勺糖。

加了糖的笑容我没资格笑话，如果我笑话，确实是我心里嫉妒，因为至今我有过这么多的情人，却没有过拍婚纱照的机会，连做场假的秀都没人配合。

外景选在衡山绿地，扬·法朗索瓦求了我半天我也不愿意去。他这人别看对这件事开始很头疼，但要拍婚纱照还是让他兴奋了一阵子。

他说积累点经验嘛，以后哪天轮到你，早就预习过，笑容姿势都会比别人摆得好，谁不想自己的结婚照拍得漂亮，以后孙子看了也会骄傲有个美女祖母。

我白了他一眼，继续在阿里巴巴网上搜索榉木产品。

忙。我很忙。我干巴巴地说。

看我手里干的工作，为八千里外的有妇之夫。我花尽心思，他能给我船身上刻着我的名字的游艇，却不能给我台湾产的巴黎婚纱和一场简单婚礼。

我在 GOOGLE 上搜榉木厂家。

在百度上搜，到木材交易网注册登广告。

我在阿里巴巴上动用了我接近天才的智商，反着来。我不搜要买榉木的，要买东西的都是朝南坐的。我盯着要卖榉木家具、榉木地板、榉木酒桶、榉木锅产瓢勺……的，一个个打电话去谈，说是德国打来的国际长途，把中文说成四音不准的外国人调子，装作海外买家要买，这才有机会接通到他们的采购经理。说到最后顺便问起他们的原材料供应细节，竟抓到几个小客户。

已经有几个集装箱的试订单在操作，信用证已经到了银行。

这让我觉得自己的钱财珠宝都是该得的。

我的 W 大学的国际金融不是白念的，虽然我真的没好好上过任何一节课。

我很忙，也许只是借口。

我知道我一时半会没有婚结，我甚至不知道我这一辈子有没有婚可以结。

所以我很忙。

忙得不想去看人家的结婚照是怎么拍出来的，忙得再也不回季媛的短消息。

季媛近乎疯狂地给我发短消息。

她说，贝尔贡已经签了离婚协议，她现在是他的正式未婚妻。但又要我不要和别人说，她说法律规定离婚三年内如果要和别人结婚会有麻烦之类的。

我对意大利的法律一无所知。

你千万别告诉别人，她反复在短消息里强调。她又说，她 12 月要去意大利过圣诞节，和贝尔贡的儿子女儿一起。她问我给 12 岁的意大利男孩儿买什么圣诞礼物才好。

她接着说，她要去意大利度假，重新布置"她的家"、"她的庭院"。她要让"她的孩子们"喜欢她。

她再说，说她和贝尔贡之间是纯纯的爱，爱得死去活来，随便别人怎么想。

　　这些，我再也不想看到了，我快嫉妒死了。

　　我想到季媛我就不稀罕我柜子里那些水果色的漂亮鞋子和手包了，定制的衣服和珠宝也没什么好的。

　　短消息的空间满了我也不再删除，她应该陆续还发过很多诸如此类的消息，但都因我没有空间接受而被拒收了。

　　不知她为什么就看准了我，她看准我没法嫁给亚历桑德，就此欺负我。

　　我不回她短消息，她就半夜三更或老早地打电话来，我看到手机屏幕上闪烁的她的代号——"小冤家"，我就是不接。

　　好吧，我认了，我只是个小老婆，你们要成为大老婆了。真的也好，假的也好，反正你们都可以对外宣称自己是×××夫人了。

　　我还是克拉拉小姐，独门独户。

　　现在谁都想朝我炫耀，谁都做扬眉吐气状，我非不给他们任何机会。

　　我下定决心不见季媛，不听她电话，不允许丝毫她的"结婚进程"流进我的耳朵里。

　　为什么我越是听到结婚这个词儿就心烦，身边的人越纷纷在做着和结婚有关的事情。

　　扬·法朗索瓦和徐增敏的婚礼秀我逃不掉，西郊宾馆是秀场。

　　我开始时对扬斩钉截铁地说，我不去不去就不去。

　　他软磨硬泡，要我看在曾经美美百货里现金的份儿上，再怎么也该坐主桌，他没有别人可以替他出面。

　　拉锯再三。

　　他保证给我安排单身欧洲帅哥坐满主桌十个位子，统统陪着我。

　　我见色眼开，答应去看看热闹，走走秀。

　　西郊宾馆这天成了电视台的天下，主桌只有我和还未谋面的九个欧洲帅哥,其余全是徐家的人。

从大门沿路开进来的小车络绎不绝,车里坐着的大牌主播和各路明星一个个脸熟,宴会厅前××早间新闻的采访车挑了个好地方停着。

风流人物的女主播是这天的主持人。

所有一切都是徐增敏自己又当导演又当制片的,显然又是个大制作。一切都是她自己张罗的,扬只是按剧本出场的演员。

没有。没有我的名字。

我摘下墨镜,凑近签到的本子,又找了一遍。每一行有三栏,第一栏是全名,接着是身份,再后一栏是对此身份的描述。

比如,有个女人的名字后,身份是××财团董事长张某某的夫人,然后描述是:一个可以管理好张某某的女人。

还是没看到我的名字!真的没有。

管签到的小姐微笑着给了我一支笔:小姐,要么我来帮您找?

我摇摇头。

不安地拿过笔,把双脚换了个角度站着,弯下腰,用手指点着找到了四个外国男人的英文名,空了一行,又找到了五个外国男人的英文名。那么这就是扬找来的九个帅哥了。

一口冷气吸进胸腔,我忽然意识到,那空着的一行空白,正是留给我的。

主桌十个人,我就是没名没姓的一行空白。

我没有身份,没有大名,来历也暧昧。

我可以吃可以喝,但没名没分,苟且偷生。

为了证实一下我的想法,我走进宴会厅去,别人都先去拍照了,里面空荡荡的。在放满鲜花的桌子上,九个名牌上都是洋人的名字,而后,在正对着小舞台的座位前,有一块名牌上什么都没有,但端端正正放着,明确地告诉着别人,这里是有人的。

是有人一时疏忽,还是有人蓄谋已久,徐增敏心里自然比谁都清楚。

我重新戴好墨镜，虚弱地扶住桌角，发现全身因气愤而瑟瑟颤抖不停。

　　为什么中国女人们，以子相逼，和洋人举行个假婚礼也觉得有资格笑话我；季媛那种和我起先一路货色的，也因为那秃顶的糟老头子一朝离了婚，而觉得高我一等了。

　　我既然如此下贱，那我就非做点下三烂的事情来，也不妄被她们轻薄一场。

　　我慢慢往外走，看见几个蒙着布的画架，掀开来，是按着婚纱照画的油画，想来是等会儿徐增敏要大肆炫耀的法宝，而且是血不沾手地由风流人物的女主播帮她现宝，她还可以装出点无辜而清高的样子。

　　一时间，我所有积聚的仇恨全都燃烧起来，噼噼啪啪的，我整个人在微微发烫，理智插了雷管，爆破得土崩瓦解。

　　我猛地推过来巨大的蛋糕车，带着极端情绪下森森的鬼笑，抄起一把蛋糕就往画上抹，抹了又抹，朝她的脸上，婚纱上，要封堵住她所有的笑容与幸福，即便是虚幻一场，我也不由她得逞。

　　我整整抹满了五幅画。

　　在听到人声远远从外面传来之际，我带着哭不出，说不出又疼又痒的癫狂溜之大吉。

▶▶▶▶ 版本 2004

　　你看上去只是小女孩而已，何必风尘。德国男人的英文说的就是这个意思。然后他从我的手里把刚掏出来烟和打火机都没收了，一甩手就扔进了海里。

海防的海水丑陋非常，灰黄的，散发出鱼腥的气息。但并不妨碍相遇与别离。

杜拉斯在这海腥气里遇见来自中国北方的情人，克拉拉遇见来自德国中部的男人。剧本可以一次次被重拍，随便一八几几年的版本还是2004年的版本，没有最好，只有更好，谁也拍不到极致。

Alexander von Thurn und Taxis。德国人。44岁。

克拉拉。上海人。22岁。

笑。

他撇嘴轻轻地，我放肆响亮地。我实在对他那么长的名字感到好笑，并且竟然是以"出租车"结尾的。

我与他说的都极清淡，姓名国籍年龄，往事被过滤得只有这些线索。无法有血有肉，血会变质，肉会发臭，惟骨头般的元素能成为化石，在博物馆里接受瞻仰，世世代代。

克拉拉？好一个经典的德国名字。

没错。如果你一定要问我我是谁，那么如果你是美国人我有最美国化的名字Jessie，你是法国人我就和你们国宝级的女明星一样叫Sofie，马来人叫我娜里塔，中国南方人可以叫我阿娇，北方人可以叫我小王。兵来将挡，总有对策。

当然你说了你是德国人，那你就叫我克拉拉好了。在你们德文里是坚韧而强壮的女人，据说是某个朝代的女王，代表了德意志民族对女性的普遍审美。就像我见到过的那些巴伐利亚省的德国女人，胸脯滚圆美好，被传统服装绷出诱人的深深乳沟，端着大杯的啤酒走来走去，每一步都是葡萄丰收的季节，而她们的屁股也一样丰满流油，仿佛滴上柠檬汁就可以随时当肥鹅肉吃的美味。

德国女人都是克拉拉。

那么，我亲爱的克拉拉，告诉我，喝血玛莉最好的办法是不是把第一杯泼在酒保脸上？嗯？

我大惊旋即洋洋自得：你是说，那个TOAN酒吧里的酒保？呵呵，原来你昨晚也在那里。

就是那里，昨晚的那里。

陪旅游团看完水上木偶戏后，我不想跟车回酒店。和本地的导游交代过了，转身就在渡船的码头野起来。

海防的码头在船来之时总有种战乱爆发的感觉，呼啦啦的人呼啦啦地冲上甲板，大大小小的车辆则开进夹层，浓重的鱼腥气混在马达轰轰里更添离乱。我站在混乱粗糙的夜色里抱肩倚栏，目光随便找个地方就挂在那儿不动了。我的目光仿佛总是看得见那个记忆深处的地方，那里有神，有图腾，有欲望与罪孽。

什么都有。有时喷香有时恶臭，夏日里睡在露天地里的男人们像浮尸一样铺满所有可以铺的地方，冬日里老人们四处坐着歪着晒太阳手里不停地掰开花生放进嘴里，苏北话讲起来就热火朝天。那个地方始终缠着我不放，我逃了很久很久，但无论向东向西向南向北，周围是极度的繁华还是贫瘠，眼睛是睁着还是闭着，最后越过一切看到的还是那里。

那个地方就像看不见的海与森林，但永远闻得到它们的海藻与树脂的气息。

渡轮到了对岸，我走过卖香烟和牛河的街角正有一个叫 TOAN 的小酒吧，灯火幽暗，从门缝里飘出西贡香水和微微狐臭的味道。推门进去，原来里面桌椅板凳都没有。人们惟一的选择就是倚墙，或和随便身边的谁谁谁拥抱亲热。

于是有苗条若小香葱的越南女子搂着圆茄子般的西方客，讲着半调子英文调情；也有香港过来的老贵妇搂着当地的牛郎，大概不管是粤语还是越语都是浪费，抱在一起身体语言才来得到位；还有来观光的欧洲情侣安静地伏在彼此肩膀上观看着一切，手中一个小 DV，横扫众生。

也许这里原本就是一出无须构思的电影。

背景音乐是寂寥的独弦琴，强颜欢笑地拉出欧美老情歌。镜头摇过在越南贪欢的各路身影，传递出整个故事迷惘而隐匿的意象，最终定格在女主角的背影上。

我相信我的背影值得让镜头静止三秒钟。桃红改良旗袍，长发乌黑卷曲，侧腿，露一截苍凉冷白。

血玛莉，多点盐和胡椒。我要。镜头依然可以不急着来拉近我的脸，而我的声音和我蛊惑的背影不大对称，沙哑低沉，仿佛压抑着撒野的冲动。

二分之一盎司伏特加，3盎司番茄汁，三分之一盎司柠檬汁。还有，2-3滴辣椒酱，少许胡椒和盐。

瘦小黝黑的越南男人一边摆布瓶瓶罐罐，一边朝我戏谑地笑。手指往杯口抹盐圈时，目光咸湿地盯牢我的嘴唇，仿佛那个杯口正是我的嘴巴一样，他在调戏我的嘴巴。他敢！

我把微笑一个急刹车般停在嘴角，接过咸湿佬递过来的杯子，朝他挑逗地勾勾手。他立刻鲜呷呷地靠过头来，而我，一扬手将血玛莉劈头盖脸地泼向他，他愣住，我却用尽所有的力道尖叫起来。啊……

所谓被狗血喷头也就是这样的解释罢。酒保活该。

独弦琴不曾停，正无聊的人们纷纷兴奋地看过来。褐眼睛蓝眼睛绿眼睛。故事忽然有了些美国西部片的味道。

一刹那混乱的酒吧响起很多语种的惊叹词，叫天叫地叫菩萨。

而我停止尖叫，嘴角笑意不改，冷冷用英文说：先生，麻烦再来一杯血玛莉，多点盐和胡椒。

镜头这才慢慢摇向蹲在角落里喝啤酒的德国男人，他的视线从女主角身上刚刚收回，绿眼睛满意地眯起，一仰头把剩下的啤酒干完，站起来走人。

我和亚历桑德还站在赌场外的山顶，我的倾诉在继续：如果用电影的方式来陈述，我和你的昨晚是不是就是这样的？

他呵呵地笑，眼睛周围皱起好多小褶子。他从倾听中换了种姿势：你比写《88》的COCO会讲故事多了。克拉拉你为什么不当个作家？

被他问到正处，我的右手一下子习惯性地抬到嘴边，急迫地想吸一

口烟,却发现手指间空落什么也没有,于是只能把手插进头发里揉着说话。

我曾经出过一本书,在我16岁的时候,写老牌女校里的事情,说女校里的女学生们不是同性恋就是师生恋,说里面年纪大的女老师都是变态老处女。把那里的生活写得不堪入目。不管怎样赚了些小钱有过小小的名气,甚至还卖了版权给电台,也得了全国的奖项。后来又靠这本书没费什么力气就过了高考,也凭着这本书成天逃课也通过所有考试拿到学位。但我情愿我什么也没写过,写了也不要白纸黑字地给别人看。好可怕。我从那本书之后就除了学校里的论文以外什么都没写过。

亚历桑德的眼睛像是一杯咖啡被搅拌棒搅得水花四溅。

为什么? 写一本书是件伟大的事,何况是在你16岁的时候。

可是,那所女校不是我写的那样,那里的生活非常快乐非常纯净,我却把她写得那么肮脏透顶。因为我太想赚钱想出名。

我其实爱着那所女校,爱那里五彩琉璃的窗户,爱维多利亚式的老建筑,爱可以四仰八叉睡午觉的大草坪,爱顶楼可以锁起门来随便弹琴还是尖叫都没人听见的小屋子。

可我连再回去看看的权利都没有了。

对贫穷与卑微的不甘,让我变得无耻而放荡,我再也回不去了。

我只能在想念那里的时候,戴着一副大墨镜叫一部的士开到她的门前,停一下或是停很久,看看放学时走出来的和我当年一样年纪的女学生,以及有点老了的教师们,摇下车窗嗅一嗅夹竹桃树与老房子特有的腐朽的味道。那种无奈,你无法想象。

我的脸转回海的方向,我又一次看见我记忆深处的那条逼仄的上海弄堂,鼻腔里填满人尿猫尿狗屎鸟粪的味道,人们为了忘却贫穷没日没夜地搓麻将,那里的一切都在绝望地残喘。我努力地忍住想哭的冲动,尽量平静地说:如果写一本书只是为了出名和赚钱,带着和命运拼了的那股狠劲,那么整本书就肯定是一部色情片,而我是在众人面前脱得一丝不挂出卖肉体和尊严的三级女演员,你明白吗? 而脱了以后,也许什么也没改变,或者最糟的是改变了一些却不是全部,整个生活就不明不白地失重起来。你明白吗?

他摇头,没法想象。

理由很简单,为了从和坟墓没什么区别的贫民窟里跳出来,为了今后我可以穿起好衣服来矜持而富裕地活下去,为了我的父母不再像抢美金一样抢公共汽车上的位子,为了让那些嘲笑过我的贫穷的人终于在我面前成了小瘪三。

沉默。

他渐渐不再说话,也不再问我为什么。他迟疑着搂过我,把我整个人埋在他的怀里,他的声音忽然那么柔软,像是巧克力放在太阳底下时间长了的那种塌陷:克拉拉,都过去了,过去了,跟我下山好吗? 不要再想曾经的事情。

我在点头之间,眼睛湿了。

我和越南地方旅行社的导游说有事,要他把游客吃完晚饭送回酒店,自己转身又去赌场。我的神智并不清醒,我不知道他的话究竟是什么意思。

他站在车头旁,带着笃定的神情为我拉开车门。

我穿球鞋的脚迈到车里一只,想想又把身子定在车外问他:我们只是去兜风对吧?

他耸肩道:天晓得。克拉拉,你不愿意跟我走吗?

车子还是从靠海的山顶一旋又一旋地开下来,赌场越来越远。我坐在副驾驶的位子上,看尘归尘,土归土,紫灰色的海岸线绵延无度。

我有隐隐的预感,也许,上了这车,就再也下不去了。

>>>> 拔根凤凰毛

黑瘦广东仔抱着一堆报表和文件走进来，朝我们叽里哇啦地念了一气。

扬·法朗索瓦不停地用胳膊肘碰我，问我那人究竟在说什么。我只管把一杯茶抿了又抿，脸上开出一朵苦菜花，一个字也翻译不出来。

相信我，他们讲的不是中文。我带着科学考察的严肃神情告诉他。

什么？扬抬眼落睛。两个中国人在中国的地盘有什么理由不讲中文？那是哪国鸟语？

是广东话，广东话不算中文。我捏着自己的下巴，撇撇嘴，开始意识到这是个很棘手的问题。如果这一堆正在用粤语报出来的数据直接关系到我们此行的目的，广东话忽然不能像听张国荣唱粤语歌那样只欣赏那软软呢哝的调子了。

好吧，我承认广东话是中文的变种。FYI，我惟一听的懂的一个词是"唔好意西嘞"。这表示有人做了对不起我的事，所以一定要听懂。

黑瘦广东仔发言完毕，火凤凰的采购经理用粤式普通话对我们说：唔好意思勒。

我一听，心就提到了嗓子眼。

12月31日以前的原材料采购，货已经陆续到了。只剩刚刚盘点后最后补差的10个集装箱就全部完成了。

我和扬交换个眼色。不相信自己的耳朵。只剩10个集装箱？我们以为起码该翻个倍，再加个0。

可是，你们是奥运会惟一指定的家具供应商，离2008年还有这么长的时间,所有的采购项目都结束了?

你们看看这张证书,采购经理指指墙上镜框里嵌着的一张证书,正是我们看到过扫描件的那张,上面的日期很明确,甚至当时扬还顺口问了一声日期的问题。

我们工厂的这个称号,到今年 12 月 31 日就无效了。

然后呢?

然后。那些因为资金实力不足,一直被排斥在各种赞助商和特许供应商门槛之外的中小企业,马上就和我们回到同一起跑线上了。随着奥运工程的逐步深入细化,各种采购项目会重新洗牌。

哗!原来还有这样一说。我靠进沙发里,逆时针转动着脚踝,鞋尖像一块江诗丹顿手表的指针,姿势潇洒而精明。

我手里的王牌,这么说并不在火凤凰这里,这下宝又要重新压回到马特身上。

这光头鬼佬,也许他早就知道火凤凰这里只是残羹冷炙,而我还以为是刚开席的盛宴,兴高采烈而来。扑了个空。

其实是我们期望太高了。扬低着声音提醒我:10 个集装箱也是订单,有总比没有好。上次马来西亚的那两个小厂,加在一起,一个月才订4 个集装箱。

我想想也对,掏出塔克西斯工厂的木方样品递给采购经理,又拿出手提电脑,点出工厂的 DV,再次发动三寸不烂之舌。

采购经理边看着塔克西斯家族工厂的简介,边念叨着,本来的合同都是和一个马来西亚的代理商合作的,但后来紧急追加 10 个柜的订单的事,写 MAIL 给他,却一直没有回音。你们来得正巧……

我和扬娇笑巧兮,速速岔开话题。

▶▶▶▶ 极致恋物癖

亚历桑德曾经毫不知情地陪我去了银行，以 VIP 的身份插队到所有手拿号码的人之前。

然后，他眼睁睁地看着我从大手袋里拿出满满一塑料袋一分、两分和五分的年代久远的硬币，哗啦啦倒进给里面服务人员的篮子里。

在一片目瞪口呆的注视里，银行小姐无可奈何地数了半小时之后，忍不住抖出一句，酸酸咸咸：现在大家都把分币当垃圾扔掉，小姐倒是交关细心，全都收着。难得您还是我们的 VIP 客户。

又捂住话筒朝左右同事小姐妹使了个眼色，口形是那一句：十三点。

我坦然接过换来的五十大块零八大毛人民币，神清气爽，舒服极了。

我拉起德国鬼子的手，请他去对面的咖啡店喝杯加了双份太妃榛果糖浆的拿铁咖啡。

我承认，在这一方面我是交关十三点的。

亚历桑德说，你把那一口袋硬币拿出来的样子，活像老葛朗台。

我这人就是贪婪着，计较着，无法自拔。因为我来路荒芜，穷凶恶极，吝啬小气也是必然。

于是我的手总是下意识地攥着，即便手心里空无，拈一些空气也是好的。就是这样一种随身携带的姿势，警惕，痉挛，对"所有"过分计较。

这是我的，那是我的，这样的归属感使我快乐。恋物与恋人没什么大异，恋到极致，再气势恢弘的人也变得尖酸刻薄。

书买来第一件事不是看，是签上名，盖上章，写上何时何地购得。于是这书才成为我的书。所有程序结束，要寻到只有我自己的空间坐下来读。当中有旁人打扰，必把书合紧了再抬头问贵干，生怕人家眼一溜就偷走十行。读过，思过，好坏都默记于心，不喜与众谈论，仿佛一谈又平白损了钱财似的。不能让别人占半点便宜。

学生时代学校发教材，时有发错再收回去的事，短短几分钟里到我手的封皮肯定不再清白，姓名班级学号早早列得清楚醒目。

酒肉穿肠过，我也不让它们轻易就过去。藏着百余的筷子和调酒棒，洗得当然干净无味，但记得每双筷子夹过何等佳肴，每根小棒沾过何色酒水。闲来时时把玩在手，是怎样的亲朋挚友仇敌过客，怎样的日光月光目光，统统逃也逃不走。

不收藏圆的东西，一失手就滚开去，惟这筷子调酒棒，有长长的把柄在，时间仿佛也要多生出几秒，又有种死死攥到老的凭证。

死死的，就是这个词。

小时候在苏北弄堂里难得抓到蝴蝶鸟雀，我就知道要死死地捏着它们的翅膀，捏到满身的花粉碎羽，捏到松手它们也飞不起来。然后把它们美丽的尸体埋进花盆里，终于成了属于我的标本。

所以，我不会因为雅皮和小资们说把人拍到景里是恶俗就罢手。咔嚓，咔嚓，我到此一游。良辰美景奈何天，时间只有借助物质载体才可以霸占。老了，坐在摇椅里，透过老花眼镜看一张张时间的停滞与结晶，知道那广场边上的木椅在某一刻是自己的，知道自己年轻的目光曾怎样温柔地抚摩过罗丹的雕像。时光也可以成为自己的时光，只要死死地端稳照相机。

我知道。

ALEX 买给我手提电脑，我二话不说，接过来在漂亮的面子上用油漆笔签了大大的名字。

我让给我定制服装的法国女人务必在每件我的衣服上绣上我的字母名字 CARLA。

家具的抽屉上必须有锁，且谁的抽屉谁拥有惟一的钥匙。不论一个人在哪里的房间，我总是随手把门反锁，门缝太大也使我会坐立不安。

依然有从飞机的头等舱偷绣花小枕头和餐具的习惯。我知道怎么把小枕头掖在大衣里装成孕妇，也熟知怎样把餐巾纸和包装袋蒙在托盘上面，蒙得乱七八糟，让空姐们根本没心情去注意她们的餐具。

当然，有一个例外。有些欧美的航空公司餐具很讲究，而上海的某家航空公司的餐具都是塑料的，为了鄙视这一家的服务，我从不对他们的餐具下手。

这方面，我的苏北家族里，个个都有些对物质的怪癖。

苏北祖母对所有东西的包装用心惊人。

家里有一个用了几十年的半导体，又厚又重，可比北方家庭压酸菜的大石头。经年累月用也没坏，一日被收古董的人看中，出高价买下。

祖母不许人家轻率搬走，手在床底下摸了半晌，竟摸出当初买回来时外包装的纸盒子，里面泡沫塑料一块没少也没坏，说明书和一层薄薄隔纸全都有，连箍电线的一小段原包装的铜丝也完好如初。

多少年后，那半导体竟能原原本本按原包装包好，像是把掏空了肉的螃蟹壳重新组装回一只活螃蟹一样。真想退回店里去的话，绝对能以假乱真。

所以，亚历桑德每次用巴黎来水刷牙，实在是件让我看了心疼的奢侈习惯。

▶▶▶▶ 新线索

在火凤凰的 10 个集装箱一次性订单之后，生意就停留在马来西亚偷来的每月 4 个集装箱订单上。马特忙忙碌碌,竟有些时候没请我吃饭了。

我开始怀疑自己对奥运会商机是否太异想天开。

"时尚频道"的霓裳羽衣越来越拴不住我的视线,衣服裙子轻飘飘的,一点分量都没有。倒是 CCTV 新闻,虽然主持人经年不变,对政府正面的各种动态都有最及时的更新。

这一天,一则新闻再次挑逗了我的神经,我的思路来了惊天大逆转。

记者从中国饭店业协会获知,目前中国饭店业发展迅速。就北京而言,为迎接 2008 年奥运会到来,北京将新建 300 余家星级饭店,平均每五天就有一家酒店项目在启动;同时,各大酒店在扩建、改建、更新改造方面,进行了全面、系统的投入。

接着出现的是对某企业家的采访:其实奥运会场馆建设的商机,到现在才算真正到来。之前的一段时期,从寻找赞助商、供货商、特许经营企业开始,中小企业因为资金实力不足,不能提供各种赞助费,从而一直被排斥在各种称号和标志之外。而今,中小企业终于迎来了自己的"奥运之春",在新建和扩建饭店的项目中,将发挥自己的优势,各分一杯羹。

我起身给自己倒了杯酒,仰头喝了两口,捏了捏自己的硅胶下巴,把整个事情的进展整理了一下。

那么,消息灵通的人士都该知道,这 300 多家新建酒店和所有老酒店的改建的采购计划,这才是真正的王牌。

谁抓到手,才能称王称霸

据悉,明天奥委会市场开发委员会将在北京某饭店宴会厅召开新闻发布会,对整个市场规划做全面具体的介绍。

呀——哈。

我立马打电话给我的光头老朋友，好久不见，别来无恙否。

他说他忙，人在北京。

得，得，一忙就把我忘了不是。

别介！他有点患得患失。

有所图，必有所患。你图色来，我图财，不到最后谁看得到棺材。

我反正得到了我想要的答案，他人在北京，忙！

我挂了电话，为他人在首都北京也该干上一杯。

2008北京奥运会，我比任何别的时候都关心国家大事。

▶▶▶▶ 熊骨项链

SO，你还是来了。

亚历桑德的脸上还是那种不轻不重的表情，CASTELLO收藏级烟斗随着嘴唇上下起伏，下巴上的蛋形小坑里被玻璃的折光打上了立体的暗影。

熟悉的嗓音和着广场上布伦纳喷泉的旋律，有些责怪，又掩不住惊喜。

奥地利的秋天凉飕飕的，连日的雨水让萨尔茨堡市中心的萨尔茨河水势汹涌。临时飞到欧洲来，衣服也没多带，我缩在一件在机场买来的大风衣里，看老城区里川流不息的留学生和游客叽叽喳喳，到处是莫扎特的糖果和糕点，附近教堂里的钟声都是莫扎特，敲得我头昏。

沿着上百年的老面包石路，一辆金漆四轮马车在我面前缓缓停下来，车夫一跃而下来到我面前，那双琥珀色的眼睛，正以他们惯常的深幽从雕花的小木窗里看着我。

怎么，又在你的预料之中？

我装作漫不经心地倚着车夫上了车，在飞机上我是打算好要作死作活一番的，谁让他留我一个人寂寞。

　　而他的手伸过来摩我的胳膊肘，我憋不住，怦然笑面如花，扑通一下栽进他的怀里。

　　很奇怪，那种折磨我的肉欲，起源于爱或肉欲本身都不重要。真正抱着他的时候却不明显了。像是有几次，在深夜的酒吧里吊男人，因为觉得自己身子热，结果和他们扯淡谈判，直至最后拦下车准备找个地方鬼混。路上开始发现自己身子热只是想和象征着男性的声音说说话，说着说着一切就凉了。

　　只是需要那一种由喉结震动发出的磁性来辐射一下。

　　之后抱歉地并拢双腿，没有一丁点要叉开的意愿。

　　安静了，逃之夭夭。

　　我饥渴的，只是个可以当洋娃娃抱的男人罢了。

　　我来之前，找到一个有用的人。

　　怎么？

　　确切地说，是关于奥运会的集中政府采购。

　　对生意有用？他迫切追问，显然对我的进展非常在意。

　　是内部人士，你知道，在中国内部人士是很关键的。

　　但最关键还是他肯帮我们？

　　那要看了。我犹豫着，回忆起马特床上的石枕头，还有那些姿势诡异的春宫图。

　　嗯。侯爵停了停，我们凑巧从一座拱桥的下面穿过，一切骤然在瞬间黑暗里沉寂，无法看清彼此。

　　一秒，两秒，继续看不清。

　　半分钟后我们重新暴露在光线里，有些线索被遗忘了，我的眼睛毫无理由地有些刺痛。

　　克拉拉，在萨尔茨堡，我们只享乐，不谈生意。

亚历桑德似有若无地笑着，推开了一点车窗，我们被街上路灯发出的光影淹没；年轻的情侣在街角用德文吵架，德语的严谨语法让整个来来回回显得格外有趣；一个流浪汉在他们边上，不停地拉着手风琴，等待施舍与关注；一群韩国学生在便利店的屋檐下，吸食着手中的烟卷；木偶艺人拎着小矮人跳舞。

迷失。迷失在鳄鱼皮的斑点起伏里，迷失在自己说不清的第六感里。

刚才有什么忽然到了脑海里的疑惑，这会儿却怎么也想不起来了。

来到郊区卡莫古特的安特湖边，亚历桑德的远房表亲哈瑟尔侯爵在山谷有座庄园。

从马车上下来之前，他拿出一个蓝丝绒的方盒子送给我。

是什么？我故作天真。像我这个年纪的女子，谁还猜不到这种方盒子里的礼物会是什么。

打开，里面超出我曾经在小弄堂时对各种珠宝知识的研究。我曾经把全世界的一线品牌当外语单词背过，在满地狼藉的小房间里，演小品一样，用一个破凳子就能排练与一个重量级人物在会所约会的全过程。

一串看上去年代异常久远的熊骨项链，用绿宝石间隔，细看每一颗都是雕功精巧的榉木形状。

是曾祖母传下来的，我留在身边，一直在等那个该得到这个的女人。他难得一派文艺腔。

撩开我的头发，帮我郑重地戴上，吻在我的脖子后方，就回旋于我的发际和耳根，久久不去。

我抚摸着脖子上冷冰冰的熊骨坠子，窗玻璃里我们相依的画面，与远处若隐若现的阿尔卑斯山交叠，湖水茵蓝透底。

你确定这是给我的吗？我迟疑。

为什么不？他低头，碰我的头。

我一遍遍地摸着脖子上的分量，有点觉得突然。

他此番太过诗情画意，我敛住心，盯着他的眼睛，半晌不响。

最终他妥协，把视线歪到一边。

为什么你要对我这么好？亚历桑德。

他回答他不知道，什么都不知道。

也许，我该对你一样的好。我说。你想让我对你一样的好，对么？你总要图点什么的，我不相信天下真有免费的午餐。

他摇头，不置可否。

雨停了，天空饱满流油。欧洲公路的两边，一片苍绿浅桃。

哈瑟尔侯爵庄园里的男宾们纷纷缠上质地精良的裹脚布，然后套上了马靴(天哪，袜子不是方便得多吗？为什么穿马靴前要像中国古代女人那样地缠脚？)，在空地的白栅栏间比试着马术，女士们这一撮，那一撮，小扇子后面的云鬓蛾眉，时而彼此嚼嚼耳根子。

跃过了最后一个栅栏的男人们，斜探着身子，从穿梭的侍应托盘上捞一杯酒，在马背上一饮而尽。

而亚历桑德，在漂亮地完成了马术之后，俯身拉我上马，绕场慢慢骑了一圈。

我高高在上，虚妄地扬着我的硅胶下巴，俯视着散落于田园四处的女士们先生们。

在遇见亚历桑德几个月之后，我已经不觉得他们有什么稀奇的了。

铜铃叮当响起，男人们的游戏后，轮到女人们。

很快在另一边，一场奥地利的松鼠比赛就要开始了。

老管家念着一个个高贵的夫人小姐们的赌注，一排制服侍卫人手拽着一只套着不同颜色外罩的小松鼠。号码拴在外罩上，年纪大些的老妇人正用单眼的不知是望远镜还是老花镜在观察着场上的情况。

老管家用德文又问了一次：还有要下注的吗？

我和亚历桑德拍马赶过去。

我的手捂在胸前的熊骨项链上，扫了一遍八只没一刻安分的小松鼠。

亚历桑德在我的耳边说，别犯傻。

我的手指缠着榉木状的吊坠，暗下决心，就拿这个做赌注，输了整个奥运计划就到此为止。

若赢了，我会去找马特，去偷到政府采购项目的资料。

于是我扬手，用德文报出了中国人喜欢的六号。

六六大顺总有道理。

压什么？所有的人都转头看着我。

我托起项链，朝管家郑重地点点头。

一阵骚乱由此而起。

亚历桑德悠长一声叹。

我咯咯咯咯笑着靠在他的胸前。

既然作秀，就要秀到底。

我早已无所畏惧，杀头也不过碗大个疤。

如果没有遇见亚历桑德，那 17 张信用卡总有瘫痪的一朝，有可能我已流落到花街柳巷，对着外国男人一遍遍舔嘴唇。一次多少钱，一整晚多少钱。

来嘛。来嘛。

沉沦的白天，紧跟着沉沦的黑夜。原罪的诱因，周而复始。

直到最后。

从萨尔茨堡回上海的飞机上，我的脖子上塔克西斯家族祖传的熊骨项链并未消失。

而在我的 LV 化妆箱里，另有些赢来的漂亮玩意儿。

千金小姐们的珠宝奇玩，不同欧盟成员国发行的不同花式的现钞欧元，镶红宝石的望远镜。

它们净光锃亮，在我的手中，就像一个个马特老兄的脑袋。

▶▶▶▶ 左眼跳财，右眼跳祸

左眼跳财，右眼跳祸。我的苏北祖母无数次念叨过。

我的右眼不住跳动的那一天，我在小弄堂口感觉到了一注来自地狱的视线。

有三样事情，一直是欲盖弥彰的。

咳嗽，贫穷与爱。

真相大白后会发生什么？

关于那个清明节的早上，我后来只能在讳莫如深中时时想起。

那个同校女生季媛是怎样出现在我的弄堂口的，也许是赶长途汽车去扫墓而不得不经过此处，也许，就是一场阴谋。

一阵不怀好意的风吹来，夹带着闸北区的腥臭和垃圾，于是在古北一带住惯了的她皱着眉转过身来，背着风，头发刮得满脸都是。漂亮的五官受了委屈似地扭在一起。

她从风尘中睁开眼的时候，不敢相信眼前的一切，大学里的明星人物克拉拉正从马路对面一条乌七八糟的弄堂里走出来。

这一刻的克拉拉不是在学校里嚣张的那个克拉拉。

更不是流言里早早跻身上流社会的克拉拉。

克拉拉在这个片刻披头散发还没洗脸刷牙，穿着一件像是在泰国芭缇雅沙滩带回的大花袍，皱巴巴好久没洗了的样子，脚上趿拉着顶多五块钱一双的搭祥布鞋，后跟都没提上。

季媛一定嘴角扯起一阵彻底的坏笑，想起一些欲盖弥彰的事情。

咳嗽你忍不住。

贫穷你藏不住。

爱，使我们做作得可笑。

原来。

原来！

原来……

流言的句子开始需要这样的开头。

　　我一度用惊人的虚妄来掩藏自己的贫穷，我很得意我似乎在这方面天分过人。

　　如果我用信用卡透支来一只 PRADA 的钱包，我会对别人说，我有 PRADA 的贵宾卡，再撇撇嘴说，嗯……其实 PRADA 用着也不过如此。

　　没有钱坐出租车时，我会对别人说，我一定要散散步，我今天和 XXX（这肯定是个当红达人的名字）喝茶时，吃多了一块奇斯蛋糕。

　　有人赞扬我的唇膏颜色漂亮，我会冷着脸说，是我上周去纽约过周末时带回来的；如果赞美给予了我脚上的鞋子，我当仁不让要宣称，是我在意大利米兰买的。其实，我也许只是从偏僻的小店以低价淘来了这些。

　　大家在八卦明星的时候，我才不插嘴，等到问我的观点，我会抿嘴笑，只说，我和他私交很好，我生日的时候还收到他的礼物……

　　所以，学校里的流言，才会以各种方式不厌其烦地描述我。

　　对于还在上大学的同学们，他们是没有功力来看透我的本质的，他们对我的生活充满羡慕与憧憬。

　　尽管，他们也许不知道，那校门口的安徽料理摊，推着盗版 CD 和 DVD 的自行车，女生们急匆匆去学校的公共浴室洗澡的样子，塑料面盆里放着各种浴球洗发水，打完球后满头大汗的男生们爽朗的背影，有时也会触动我的脆弱。

　　我似乎，从没心情如水地享受过这种单纯的生活。

我难得去学校露一面时，我的装扮会引领两三个月的校园时尚潮流。

比如，我把一只冒牌的桃色卡通风镜别在头上当头箍，穿同色的七分半肥腿裤，配深绿色 CD 的绣花 T 恤。

据说，那个春天，整个 W 大学的校园都是桃红柳绿的肥腿裤，很多女生学着用各式风镜当头箍，个个跟明星出镜似的。

我穿一身简单立体裁减的 AGNES B 喇叭裙时，只要用一根同色丝带在裸露的手臂上缠三圈打个交叉节，就再也没有任何女生能移开她们的视线了。

隔天，一只胳膊上绑丝带就成了 W 大学的新风尚。

当然，如果有人可以看得出我的这些小伎俩也不过尔尔的话，那也惟季嫒莫属。

她同是出来混的人，各式的名车在校外接着，男人的一个坐进车里的背影就可以迷死人的那种。

我们在代表各自班级出战英文竞赛，舞蹈比赛的时候，互相打量，沉默地擦肩而过，却从不招呼。

男生在寝室里，把我们的五官身段大卸八块 PK 不厌，我和此女早就心知肚明彼此的分量。

我也不是没做过恶梦，这一切海市蜃楼般的气球。我总是梦见，有一天，一注目光守候在我的小弄堂口，如一根针，顷刻戳穿我如光环的气球。

原来，她什么都是装的，她只不过住在闸北区的破旧的贫民窟里。

这一天其实是有征兆的。明明戴在脖子上睡觉的"时来运转"项链，醒过来竟销声匿迹了。我披头散发地在满地狼藉间找，心中忐忑多年不遇，那东西就是莫名其妙地没有了。

眼皮也随着开始狂跳。

没有,哪里都没有。

于是我决定到弄堂口去买一包烟。然后回来,接着找。

我沿着投在我身上的目光看见了马路对面的季媛。我们在之间穿梭不止的车辆与路人两旁僵持地对望着,像是古战场上的一次战役。

她的脸上有一种得胜者的骄纵。她这一轮已然赢了。

她从此可以说,克拉拉的生活,原来如此。

▶▶▶▶ 首脑们的行踪

9 月 1 日,美国的劳动节。

这一天受亚历桑德之意,克拉拉小姐与上海房地产巨鳄徐增凯谋面,商谈有关投资几处物业的事儿。

我还记着徐增敏婚礼上的仇,自然没有好面孔的。

这小子来归来,今天后面还跟了几个××帮的冷面兄弟,一看就是苏北窝子里出来的。上海的混混语言就是苏北话,操着这种响亮而霸道的语种,总是自然而然的一身江湖气。

去看看那些滚轴溜冰场里瘦骨精一样的彩发男孩,一身塑料挂件的小太妹,不会说苏北话,就像混洋人圈不会英文一样。

他抱臂坐下,支起二郎腿,环顾四周,道:克拉拉小姐,现在真是风光无限哪。这地段……

我没接口。

扬·法朗索瓦拉开了附近的一个抽屉,完全有理由相信那里面藏了把枪。

不过我知道里面是世界各地的各种现钞。

同一天。

美国总统冒着细雨赶到俄亥俄州一家制造业工厂,拍着胸脯保证政府将加大对制造业的扶持力度,同时又暗示是外国人夺走了美国制造业工人的饭碗。

他说:"某些国家应该明白,美国人期待着一个公平竞争的环境。"

白宫工作人员对此解释说,总统指的是人民币汇率过低,使中国企业得到了好处。

民主党人克里与此同时,根据盖洛普公司民意调查结果"52%的人不满布什的经济成绩",高举维护劳工权益的大旗,主张挽救纺织、建筑和工业制造等夕阳产业,将创造新的就业岗位列入竞选纲领,作为打败布什的一张王牌。

分析人士指出,布什很有可能步他父亲的后尘,赢得战争,却被经济拖下了台。

与此同时,美国财长斯诺在亚洲忙于他的"汇率之行",其主要目的就是联合日本说服中国采取浮动汇率,促使人民币升值。

中国国务院总理温家宝9月3日在会见美国财长斯诺时明确表示,保持人民币汇率在合理、均衡水平上的基本稳定符合中美两国的共同利益。他说,双边贸易是互惠互利、互补有无的,美国人指责我们抢了他们的饭碗没有道理。

人民币的走势依然扑朔迷离,但亚历桑德还是愿意把筹码压在中国大陆。

海外滚滚热钱陆续流向上海的房地产市场,在电话里,我建议亚历桑德也投资几处物业,缓解一下全盘盯住木材生意的压力。

徐增凯正是这一行的翘楚,虽然他姐姐的那件事弄得大家尴尬,不过不看僧面,看佛面。

看在亚历桑德的面子上。或者看在亚历桑德手中的钱的面子上。

大家还是把过往放两边,利字放眼前。

别的我既然委托了徐先生,就照他的意思办。但我坚持要买一处新华路上的三层老洋房,在法国梧桐扎得浓浓的地方,人烟稀薄,有宽敞的露台。

现在住的酒店公寓虽然时髦豪华,但总没有安稳的感觉。

反正,ALEX 也交代了,涉外的手续很难办,名头写我的就是。

▶▶▶▶ 17 张废塑料

对不起,您的账户余额不足。

啊? 再试一次!

对不起,您的账户余额不足。

呸!

这张信用卡也爆了! 这可是我 17 张信用卡里额度最高的一个! 这下我只有最后一张卡还能透支,但已经把取现金的额度用完了。

死翘翘。

明天就有两张账单到期。

让我想想。好好想想。最近我只是办了一张 VIP 美容卡、买了两件 MASON MODE 小礼服、四双同款不同色的 BELLE 圆头羊皮鞋、接连三天去了中信泰富楼上的金钱豹请我自己吃晚餐。再也没有别的花费了。再想想。嗯,可能还买过星巴克咖啡熟客券的,这样一下子付掉 20 杯 LATTEE 的钱每杯可以有不错的折扣,再有就是一张做足疗的贵宾卡。

就这些。比我曾经的刷卡记录已经收敛不止一半了。

办了第一张信用卡，就注定了要办第二张来还第一张的账单。到能办的信用卡都已经办过了，并透支到极限了，那肯定不是毁灭就是新生，总有什么天翻地覆的事情等在那儿呢。

ATM 没人性地吐出我的卡，卡不能透支了只是一片普通的硬塑料，我看也不看它一眼就扔进了手袋里。

我呆呆地转过身，心烦意乱，正和香港广场大海报上寂寞的郭富城四目相接。他站在二楼的玻璃墙上，红色紧身背心红色小短裤。隔壁太平洋一层的香水从他的鼻子底下漂过，楼下味千拉面的猪软骨拉面在他嘴巴冒着热气，往南再过一条街就是新天地，那里的爵士、布鲁斯夜夜从他耳际川流不息。

这淮海路上的物质啊，我就要一遍遍地说，要大段地细节描写，就算刷爆了 17 张信用卡也要继续。色香味，衣食住行，酸甜苦辣臭，柴米油盐酱醋茶。

我已经山穷水尽。再也没有什么信用卡在还不出钱时可以申请了，因为所有在中国可以申请到的都已经在我的钱包里躺成一排，17 张，五颜六色，闪闪发光。

也没有旅行社的备用金可以放进账户里几秒钟，再迅速地提出来交到计调那儿去报账，现在是淡季。

我更没地方借钱，至于为什么，解释起来就像一个萝卜连根拔，牵连祖宗八代的，还是留着以后我吊到高鼻子大富豪做了专职阔太太了再慢慢说。在自家欧式露台的躺椅上，说几段，起了身，转到房间帷幕重重的大床上，拣个舒服的姿势躺下接着说。到了那时，随便猴年马月。

现在我得坐下来好好想想，无论如何。所以我理理衣服，拍拍脸让皮肤泛起胭脂的桃色，再把鞋尖上的一撮灰掸掉，然后左转弯走进SALLSA 咖啡店。

咖啡店一向是我的风水宝地，只要有杯香浓咖啡在手，再有高鼻子洋帅哥让我看，爵士乐的慵懒调子里混上各种口音的英文交谈，间或再冒出几个德文法文西班牙文的声音，我马上就能 HIGH 起来。

这种很波希米亚的异国情调就是我的瘾，我靠吸食这种奇妙的感觉过活。

戒不了，戒不掉。

如果我心情不好，只要找到这个城市的西边在哪里，看看那些精致的橱窗，再和越来越多混迹于此的老外对对眼睛，我马上就可以把什么鸟事都忘了。

当然，不是所有卖咖啡的店铺都是可称作异国情调的波希米亚。如果音乐放的是刀郎，桌子椅子不是实木清漆却是塑料的，价目牌上非要把冰咖啡叫成冰镇咖啡的，没有一块小黑板用笨拙花体英文写每日推荐的，服务生听不懂各种咖啡的专业拉丁文叫法的，店面里一个洋人都没有的，统统不是我所说的风水宝地。

以此类推的波希米亚场景还有很多。如果面包房是把面包放在藤编篮子里而不是堆在玻璃橱柜里的；如果超市是巴黎春天地下的城市超市那种，货品都是原装进口没有半个中文解释；如果习惯在家中玄关里挂块写字板并用五彩吸铁石把照片贺卡之类乱乱吸在上面……一切带了游弋流连的味道，我们却还身在原地。

一杯杏仁冰摩卡和一杯提拉米苏。我熟门熟路地说，眼角在扫视着 SALLSA 店面的哪个地方坐着单身白人帅哥。

几分钟后一个压好边的牛筋纸袋子递到我手里，我优雅地递上我的最后一张信用卡，暗中已经在一个长得颇像奥兰多·布鲁姆的洋帅哥边上找到了座位。

哦，真对不起小姐，我们的 POS 机今天坏了，请您付现金好吗？玉面服务生彬彬有礼，声音磁性好听，不料对我却是晴空霹雳。

什么？怎么会这样……我即刻慌了，迅速侧移一步装作还要买点别的什么的样子，其实心里在盘算怎么办。事实是，我的现金只剩 40 块，也没有任何卡里还能取出一分钱，我根本没办法付现金。

小姐,您还要点儿什么吗?服务生十二分热情。

我的血已经全部突破地心引力涌上头部,脸红得比番茄都狠。我十分窘迫地回过身来,把纸袋子慢慢推回收银台上,声音低得像蚊子叫一样:看来……只好算了,我只带了卡。

没关系,ATM 就在门口,您看就在那儿。服务生顺手指了指刚才把我气得半死的两台取款机。

他真是不依不挠,到底毛头小子,看我的脸从番茄色变成烂番茄色竟看不出端倪。

几个 OFFICE 小姐已经开始饶有兴味地观察起我来,这些被升职和加薪打磨得圆滑世故的女人们,什么人情事故也逃不过她们的眼。

我更加慌了,鼻尖渗出一层密密的细汗。

好的,我这就去取,你等等。我情急之下只能这样应着,然后尽量镇定地朝他说的门口走去。腿一紧张竟然有点缺钙,走了两步忽然崴了一下。

这倒好,那个奥兰多模样的洋帅哥的目光被我的一崴吸引过来,可惜不是迷上了我的玲珑身段,也不是被我的乌黑长发勾了魂,却在看我的滑稽戏。

我真想找个蚂蚁洞钻进去。有没有? 在哪里?

大门一推开,我撒腿就跑。马蹄跟的鞋子叮当叮当,宝姿墨镜颠到了鼻尖上,裙子不识相地粘住大腿,整个淮海路都在一蹦一跳,今天傍晚是不是上帝在颠大勺。

我什么也不管了,横竖横吧。快跑,快点。

这家咖啡店,叫 SALLSA 的这家,我……我……我今生今世再也不来了。

NEW YORKER 的专卖店里一如既往空荡荡,售货小姐的人数永远比顾客要多出几个,脸上的表情和店里的陈设一样金贵。

橱窗里的衣服,我们只能看出来一定很贵,但肯定说不出来有什么好看的。款式保守的开衫两件套配长裤,要么单色要么格子。

一个个子只有一米六五左右的金发男人正从鼓鼓的钱夹里掏出一厚沓百元人民币，一贯冷面的售货小姐们此刻露出难得一见的笑容，忙着把三件天价衬衫装进购物袋里。

那不是现金吗？那不是我现在最需要的宝贝吗？它们原来近在咫尺。

我顷刻间收住步子，小脑瓜转得如电脑 CPU 般发出吱吱嘎嘎的声响。

我眼睛一转，决定拉下脸皮去拦下这现金，然后用我的最后一张信用卡帮他付款。当然让我对一个高鼻子金头发的美男子做出这样的要求显然有损我克拉拉的面子，不过，谁让我现在走投无路了呢。大小姐要能屈能伸，先将就一下再说。

自动门在我身后悄然闭合，大厅里点钞机清点百元大票的美妙声音刚好停了。收银小姐甜得快酿出蜜来的声音在说：对不起先生，真的只有 4900 元，少了 100 元。

可我是在银行换好了 5000 块直接就到你们这里来了。金发美男的英文是法国腔的，背对着我，肩头耸起，显然对突如其来的事件很不自在。

先生我们已经用点钞机数了三遍了，总不会出错的吧。

小个子男人下意识地把拿回来的一沓钞票在手心上拍打着，发出吧嗒吧嗒的声音，而自己却说不出话。

我见情况有变，就先装模作样地拿起新款的露趾皮鞋看起来，心想这男人可别口袋里真再也掏不出 100 块来，那我连最后的机会就都没有了。

旁边的小姐果然说出了我最怕得建议：先生，现金不够您也可以刷卡呀。我看见您皮夹里不是有 VR 金卡的吗？

靠！我把手中软羊皮的鞋子狠狠捏了一下，恨不得把细细的鞋跟给拔下来。

而男人的声音却出人意料更窘了：但那张卡……磁条坏了，刷不出来。

啊哈，我松了口气，在一旁偷着笑，他的声音分明泄漏了根本不是磁条的问题。而且我还想起来，我的最后一张上海银行的卡可以在这里享受 VIP 待遇，打九折。一想到这里，我整个人都有点热血沸腾起来。

没关系，试试看好了。售货小姐当然不放过他。磁条是接触问题，在有的机器上刷不出来，换台机器也许又好了，我们碰到过很多这种情况的。

你看人家服务多好，还跟你解释这么技术性的问题。我一边偷笑，一边已经迈开步子朝小个子美男走去，那种春光明媚的感觉，仿佛要化作蝴蝶在华衣靓包间飞起来。

他转身向我，T 恤的前襟上赫然印着：如果你是富婆，我就是单身汉。阴蓝的字体，诙谐中，透出些许落寞。

MISEUR。我用法语招呼他，用目光扫扫他 T 恤上的口号，接着用法语说。我是富婆，你是单身汉！用我的信用卡付账吧，可以打九折，不过你要把现金如数还给我。

我同时附送一个在圣若兰女中里练就的招牌笑容。

他先愣了一下，随后聪明人反应极快地舒展开五官，像是干花被扔进了水里，从嘴角到眉梢，喜笑颜开。他把手环在我的肩头轻轻按了按，欣然接受我的提议。从此我们成了小伙伴。

他匆匆赶去搭飞机，留给我的名片上有一片绿色的山毛榉树叶。公司的名字足有两寸那么长。

VON TURN UNDTAXI 木业。高级顾问。

▶▶▶▶ 不入虎穴，焉得虎子

马特还在复兴路路口的 YOYO 俱乐部里客串唱最晚一场爵士，光头戴着长假发，手里拿着一把中国书法大折扇，脖子上那根疑似小学生的绿领巾还是系成兔耳朵一样。在歌与歌的间隙里，他也依然背对台下大口喝啤酒。

小酒吧的生意一直红火，被崔健和克林顿的宝贝女儿一撑台面，又被赵丹的儿子和白杨的女儿一加温，连穿中装马甲的 WAITER 们也牛气哄哄。

不给我找位子，我就倚吧台站下，要一杯荔枝马天尼。

就算没回头，我也清晰感觉到一束热辣辣的目光追过来，碰到我的身上就化作手指，马特的细长手指，沿着我的腰和臀正画着一个大小S。

我掩饰着自己颤抖虚冷的身体，自顾自地先饮酒下肚，朝身边的漂亮洋妞打嗝招呼 SAY HELLO。

音乐这时忽然停了，马特对着话筒说，下面这首献给站在吧台边上不想看我一眼的小公主。顺便说一下，她的名字叫克拉拉。

嗯哨声四起，有点上海滑稽戏的闹场。洋妞朝我挤挤眼：嘿，他说的就是你！

我最爱的"WHAT A WONDERFUL WORLD"响起，马特最拿手的就是学肯尼罗杰斯的沙哑混浊，他知道我对此种欧洲老男人的嗓音没有招架之力，一听身子就软了。如果男人是用声音来和女人做爱的，那我愿意和马特做上七七四十九天。

可惜不是。

我今夜主动找他，为的是 ALEX 的家族事业。他是我的牧师。人们只关心我的年轻与美丽，在我生命里不会再有什么人能倾听我的贫穷与挣扎，那些乌漆麻黑的过往，除了他谁愿意多看一眼。

我在众目睽睽里转身向马特，举杯示意，脖子上的一串熊骨项链冷艳靡丽。

士别三日，果然刮目相看。马特稍候下台来，看我今夜妆容精致，流光溢彩，当然要抓住时机秀他字正腔圆的中文。

一双灰眼睛上上下下打量着我的行头，当目光落在我脖子上的熊骨项链时，盘盘旋旋，充满狐疑。

发生了什么，我亲爱的克拉拉，我还以为我是不值得你梳妆打扮的那种丑男人。他凑近我，目光炙热。

手朝我伸来，我心里一扭，以为他要摸我，却只是掂起我脖子上的一串熊骨。

你的项链很有意思。他拨弄着我吊坠上鹅蛋形的祖母绿宝石，念念有词。如果不是在襄阳路买来的假货的话，那就价值连城，并且欧洲古董商都会极感兴趣的。

他一看再看，眼睛眯起来集中视力，像是把骨头花纹里的灰尘也要弄个清楚。

我心虚，发根渗出一层冷气。这 ALEX 的祖传项链别是让马特起了戒心，弄个满盘皆输。

幸好忽然什么旋律从马特手机里响起，让他放手不再研究我的宝物。

旋律太过熟悉。太熟悉就意味着不再注意叫什么名字，来自哪里。并且整个酒吧的人都先是骤然安静，和我一样在捉摸着到底是怎样的一首曲子。

尔后，幡然醒悟，笑得歪瓜裂枣。

《义勇军进行曲》啊我们中华人民共和国国歌，我们小时候天天升旗仪式要敬礼的曲子。现在却被这个鬼佬当最炫的手机铃声下载了。

马特没法体会中国人民在爵士酒吧里听到国歌的突兀感觉。他懒洋洋地看了一眼号码,撇着嘴按 PLAY:TANK,我等会打给你,我现在不知道等会儿怎么安排。

TANK!

我又经历了一个太熟悉,猛地回不过神来的名字。

我调笑说,马特你这是被女人眼馋呀,还是你眼馋人家呀。惹麻烦了不是。

TANK,TANK!

我暗自重复着,这个名字搔着了我的末梢神经。

▶▶▶▶ 圣诞礼物

一只康颂纸印制的信封,斜斜贴着 DEUTSCHE POST 的条形码,几排流畅到辨认不出的德文花体字,信口是盖在封蜡上的印章。

唔!那个手掌般饱含玄机的榉木图案,中世纪开始统治欧洲邮路的家族。看一眼,冬雷震,再一眼,夏雨雪。

亚历桑德·冯·土恩温特塔克西斯侯爵。

运向马来西亚客户的榉木集装箱离开德国布莱梅港时,亚历桑德在码头轰隆隆的机械杂音里打电话给我。

他不言谢。只教我别浪费大好青春,如果看中哪方美男,只管见机行事。

我不请功。只说扬·法朗索瓦在为我搜索上海滩上有鸭子的俱乐部,他打听到除了阿曼尼俱乐部之外,北京烤鸭店的"鸭子"也非常性感,且很知道怎么惹得女人流口水。

是了。我与你之间。亚历桑德。

我把我的贫穷摊给他看,你毫不掩饰显赫人生里的巨大阴霾,比如你如何为作个神父而学拉丁文,又如何不得不继承家族的事业。你放弃了年少深恋的女子,娶了金融界大亨的千金。

贫穷与显贵,在某种程度上是相似的。

只有生而小康的阶层可以类似于幸福地生活,当然,前提是他们没机会看到更好的生活。

情人之间,是一种宗教。我把脸贴着他光亮的脊背入睡,这是从今与往后都该被纪念的姿势。

圣女与神父。

所以,我走进复兴路口的棉花吧,去找马特。

我曾在侯爵的大书房里抚摸过那些啧啧称奇的玩意儿,漂亮的戈登猎犬驯服地趴在他的脚边。阳光从精工刺绣的窗帘外照进来,照在或金黄或靛蓝的皮卷精装书脊上,整个房间都是金光闪闪的。

路德维希时代的古董写字台上,摆满一排定制的墨水瓶,融封蜡的小铜勺和玻璃小酒精灯一应俱全。用贝壳雕成羽毛状笔杆的蘸水笔,铜制雕花的笔,木雕花的笔,整整一大盒几十种各种用途的笔尖,盖蜡封的章,橡木盒里排满各种颜色的封蜡。精致得让人不敢喋声。

现在,这些使人不敢喋声的玩意儿,通力合作,写了一封让我愈发说不出话来的信:

圣诞节,他要带全家去瑞士铁力士雪山度假,一年一度,候鸟迁徙般雷打不动。

他没法在平安夜给我打一个电话。

他的全家团圆把我撇在了一边。

我不想听他说抱歉。什么都是没用的。

我不想再看下去。现实！现实！谁管你这狗屁现实。对不起有什么用，一千万个对不起，我也还是孤苦伶仃的克拉拉小姐。

我的头越来越重，像挂满了中国桃子的树耷拉下枝丫。我把脸埋进手心里，手心里湿嗒嗒的，变作了一片沼泽地。

一团火苗簌簌趁机腾起，那团一直就不曾平息的暗火。我想起就在前两天，季媛还打电话来，千娇百媚地说，她要"回"意大利的"家"去准备圣诞节，她是那房子的女主人，一定要好好装饰，好好布置，她要给贝尔贡的两个孩子买什么礼物才好呢。

她的每一句话都说到我的痛处。我只有无力地嘲笑，以此来阿Q自己的神经：

嗲不死她！那两个比她还大三岁的孩子。

扬竭尽全力逗我开心，拆开给他的那个装礼物的银盒子。

里面码着整整齐齐的一打同款同色 CALVIN KLEIN 内裤。附卡片一张，大意是中国的一句俗语：年年岁岁花相似，岁岁年年人不同。

我要是没领会错的话，那就是说，年年岁岁内裤都一样，岁岁年年床上的女人却不一样。

一条内裤一个新女人。

对了。CK 内裤明年就应该选用我创作的这句广告语。绝对捧得了年终创意大奖。

扬打白旗一样挑着一条内裤。

你说说，克拉拉，我到底都做过些什么？

我没笑，他自己一阵吃吃乱笑，花枝乱颤。

我碰过的女人有了孩子，我不是照样和她举行了婚礼了么。谁也不能说我是负心汉。

看看你的盒子里是什么。他随手打开给我的大盒子。

太……那个了吧。扬没找出合适的形容词，

我忙凑近一看。

呀——哈！一座×××百慕大。

箱子里满登登的都是成人玩具，颜色艳丽喜人，琳琅满目。

双扣手铐脚铐，体位图手帕，镂空三点的紧身皮衣，糖果内衣礼盒，几大盒不明成分的催情口服液……

亚历桑德当真善解人意。

扬摇头晃脑。直说到我害臊。

▶▶▶▶ 要皮要肉

丫头，搁哪儿呢？

那一天在上海傍晚的六点钟，下班后人多得像逃难一样的大街上，我穿行而过，闻着走在前面的两个西方男人的体香，看着他们有圆圆后脑勺的金发头颅，正在心旷神怡间，马特的京片子忽儿从我手机里蹦了出来。

正准备去健身，请我吃晚饭？

成，就为这个打你手机的。今儿吃北京烤鸭吧，我有阵儿没去尝了。淮海路那家，等会儿8点见。

行，就这么着。回见。

回见。

我手一松，手机像跳蹦极一样从耳边坠落到胸前，又弹起半寸，左摇右晃。

我包里塞着刚拿到手的去越南带团计划和全团机票，脖子上挂着左摇右晃的手机，正匆匆赶去舒适堡跳傍晚的 STEP 四级，顺便洗澡。或者诚实点说，是去洗澡，顺便跳四级踏板操。

我是一个买得起舒适堡繁忙段年卡的人，可家里却没有澡洗。这话说出来都有点寒毛直竖的荒凉。

那个闸北区的棚户与老工房焦灼的弄堂里一切都是老化的，电线接触不良，水压要看心情，安装淋浴器和不安没有任何区别，何况那个街区的人们习惯了站在露天地里当众洗澡的，男人们穿着一条湿津津的南瓜短裤，把没有香味的碱性肥皂涂在身上，抹两下，一盆水劈头浇下来就算冲干净了。

我的苏北祖父母活着的时候还要绝，那时弄堂里连自来水都没有，要洗澡了，爸爸和爷爷一起拿铁皮桶去老远的井里挑水回来。

那口井里的水太讳莫如深了。我看见过有人对着里面刷牙，也有少妇把小孩举着朝里撒尿拉屎的，我不知道弄堂里的那些人是真没看见，还是觉得这些尿液刷牙水有特别的营养。反正爸爸和爷爷执着地把这水担回家来，倒进一只年代久远的大木盆里。做这木盆的木头据说是当年家族从苏北盐城逃到上海来的那条大木船劈开来造的。

那时，爷爷一辈一共五房，大房二房的兄弟都是有姨太太的，连太爷爷那辈全都吃喝拉撒在这条船上，照样有孩子的有孩子，也不见活不下去的。若不是日本鬼子进城，看见我美丽动人的苏北祖母，远远叫着花姑娘花姑娘，那大家族说不定也就祖祖辈辈在这大木船上过到21世纪。

家族怎么逃到上海来的以后再啰唆，无论如何这木船到了我小的时候成了用铁条箍起来的大木盆，我没学会走路的时候这就是我的摇篮，我的窝，全家要洗澡了才把我抱出来，然后爷爷和爸爸把井水倒进盆里，用塑料布吊在灯上"造"了个迷你浴室。

第一个洗的是爷爷，而后是爸爸，再后面是小叔叔，接着是奶奶，妈妈，最后轮到我。长幼尊卑的顺序，随便是洗澡还是祭拜祖宗都是一样。水就是一开始倒进来的那些水。

归根结底，洗澡在苏北人聚集的弄堂里是逢年过节的事儿，没事儿洗澡有点败家子的味道。

奶奶爷爷早就说过我这人是败家的，他们在世的时候早早给我定了性。

所以，我也就不用矫情了，我破罐子破摔就一直想方设法在天天洗澡，为了可以天天洗澡而考寄宿制的女校，为了可以泡 XXL 号的大浴缸而有了情人 ABCDEF。办舒适堡的卡更多也是洗澡的考虑。

我在健身房明亮堂皇的更衣间里把 T—back 式样的内裤一脱，拖地板的老阿姨和更衣室里进进出出的小姐太太们都要往我的身下看了又看。对着一排镜子化妆的就对着镜子朝我看，在我侧面的就着余光看，都在看。

有蒸汽的空间里尽是脂粉和洗发水的味道，脂粉和洗发水是和国际接轨的牌子，CD、Chanel, SASSON, LUX……但她们却还接受不了我的下身是这个模样。

我的那地方又没生出个什么蜥蜴尾巴来，这些女人何苦对我饶有兴趣。

我只是比她们勤快了一点点，把毛毛剃得光光的，我觉得这样很卫生很有美感。

呵呵，学不来了吧，那些号称与世界同步的时尚杂志上当然学不来这个，看这个部位是否光滑干净却是你够不够洋派的关键指数。西方男人一直不明白，东方女子一向比洋马子精细，怎么这个的问题上却这么不注意。

而这个部位的状态，没有过西方男人经验的女人永远都不会意识到。

所以。没和洋人有过肌肤之亲的中国女人，再怎么会吃西餐喝咖啡溜英文都算不上洋派。

马特拢着折扇，用扇尖点着菜谱，朝侍应摇头晃脑交待齐了荤素冷热一套。

吃北京烤鸭时我越发坚信对西方男人有种癖好是对的，其实中国女人嫁给白人男人，白人女人嫁给黑人男人，这都是我觉得非常完美的结合。

你看马特放进嘴里的肉全是没皮没筋没有半丝可疑部位的，他得意洋洋，说惟其如此才能算一块完美的肉。而我一向喜欢吃皮，吃些"非常规"的部位，四四方方的肉我还嫌太死了没嚼头。于是，这样的一顿大家分工明确，各取所需，亦无需谦让，总是开心的事。

邻桌的男男女女看着我们这里也是带着些探究的意思，到底我们是狗男女还是正式的情侣都有待查证。想来我们之间至今清白这样的事实是没人相信的。

上海滩上狐香狐臭，洋人多了，水就混了。和洋人混在一起的女子旁人就有的猜了，从她们的身高到她们的内衣品位都有些香艳传奇。

马特，明天我要去越南，你看我现在沦落到这种穷国家的团也要带了。

我把最后一块烤鸭皮夹进面饼里，用手抓了一撮葱。想想做导游，每每把游客带到"枪店"里，人家在前台付钱，我就在某个密室里看着联网电脑上不断增长的数字，某一刻，数字不变了，马上就有店里的财物人员把一半的回扣塞进我的手里。要多刺激有多刺激。我把包好的饼大咬一口，祈祷自己这次带团的"战绩"好一点。

我的小曲奇克拉拉，我知道你还是不会白去一趟的。你们作导游的随便什么国家都能骗到钱，我知道全世界的导游都有回扣和小费。

他又在嘲笑我第一次见到他时干的事儿，谁让他那次是我的游客，我和他萍水相逢，素昧平生，有什么道理不狠宰他一刀。他在丝绸厂里买了近一万块的东西，我转手拿回五千块回扣，多么天经地义。

听说越南的赌场很容易赢钱？我企图转移话题。

这个我倒不清楚，不过也真够巧的。越南正好最近在开 DOMOTEX 的木材展会，我三天后也去越南，就呆一天。你的行程有海防？

我翻出旅行社的计划单看了看。唔，不错，20 号到海防，有两天的游程。

太好了，克拉拉。手机别关，到时我请你在海边一家叫 TOAN 的酒吧里喝一杯。此间没有桌椅，累了只能随便和身边的人拥抱亲吻，我要正巧在你身边，保不准你就要对我投怀送抱了。

想得美吧你。我干嚼着最后一块烤鸭皮，佯装无聊。

别介别介！马特扇扇手中的大折扇。我找别人也成，只要克拉拉高兴。

▶▶▶▶ 香港火并

季媛是我的恐怖片，一想起她，总带着些怕看又想看的刺激。

见她吧，她总能使出些小花样来惹我心烦。不见吧，找不到棋逢对手的乐趣，也是落寞。

去跟生意圈老板们带出来的小妖精们比，我才不稀罕，她们要么职校出来，以嬉皮和廉价前卫为乐，戴塑料指甲，披披挂挂，哈日哈韩；要么是上了年纪的半老徐娘，讲起来不是麻将桌上的事就是男人前列腺，吃饭去老家伙们的海鲜城鱼翅馆，那一瓢人的舞场子里，婆娘们的脸上粉总是边跳边簌簌往下掉，男人戴着金链子金戒指，留着黄黄的长指甲，还个个自我感觉良好。

当然，OFFICE 里混到个小方格子就不可一世的职场小姐，我也是没法为伍的。和她们去最简单的 COFFEE SHOP 喝茶，她们会五分钟内叫三次服务生，每次差人家拿走一张用过的餐巾纸，或者，一只倒空了咖啡糖纸带。要么，挑剔人家奶精是用牛奶代替的，再慢慢告诉你，她塌果酱塌得最匀了……

除了季媛，我当真再没有可当小姊妹的人选了。

所以我终究熬不住恐怖片的诱惑，约了她周末一起去香港圣诞扫货。

好久没见，她越发高挑清瘦，简单一件 CHOLOE 菏叶边衬衫配修身长裤，我近日附了些小肉，只好在长裙外扎条 Givenchy 方扣粗腰带掩人耳目。

两个人踩着细高跟在金钟广场兜了一上午，大包小包回海逸酒店房间，放战利品，心照不宣地换行头。

事先定了酒店底楼临海的餐厅 BUFFET，此间的美食海景都属上乘，美丽的维多利亚港的甬道上，总有散步的闲人可以观赏。

再出场，我换了皮质波点藏红色筒裙，同色短款皮手套，腰间缚了一条超大黑色丝带蝴蝶结。现金放在 BRA 里，房卡藏在内裤下，一如往常。

小冤家换了紫色 CELINE 半身裙，配 MANGO 镂空背心，一个翡翠大胸针别在腰上。POLLINI 裘毛手袋。

说她现在忙得要死，全都为了"老公"的生意。克拉拉你每天那么闲，才不知道我有多辛苦呢。末了，再次重复主旋律，她太爱贝尔贡，她愿意为他做任何事情。有没有钱都无所谓，哪怕和他一起种地当农民也是甜蜜。

我嗯嗯啊啊，配合她的这场戏。

她更加有了精神，说生意越来越难做，那种结疤水线红心之类……算了，说了你克拉拉也不懂，你反正日日清闲。

她是得了便宜还卖乖的典型。

我只有哑巴吃黄连的苦涩，涩得满嘴满心。

亚历桑德和扬就是不让我和季媛提起生意上的事。

从一开始，亚历桑德和扬就强调，千万不能让她知道，更不能让贝尔贡知道。

我刨根问底。

只得到简单的回答。是贝尔贡一直想说服亚历桑德，让他做塔克西斯工厂所有产品的寡头代理。不希望看到工厂的货通过其他代理商或自行联系客户运向亚洲市场。

我知道这才不是真正原因呢。

我日日清闲？我不做这一行？我不知道 B 级木材任意一米之内可以有几个结疤，BC 级别允不允许有红心，市场价一方榉木原木是多少美金？

呀——哈！呀——哈哈！

这个从扬那里批发来的词我后来发现实在太好用了，不知可以省多少脑细胞。可以表示惊叹，赞同，嘲讽，开场白，结束语。反正当你不知道说什么好时，说这个总不犯错。

好几次，我都忍不住想告诉她，我克拉拉现在的身份是福祥木业的总裁，我再怎么逊，每月也有 N 个集装箱的木材在往中国运。我可不是只拿皮尺去验货，不是光穿露着大半个胸脯的礼服去陪人吃饭，我是踏踏实实地在开拓市场。

我该把我一手揽下的订单，全都复印，连同营业执照，速递一份让她好好瞧瞧。

我所做的一切，不在她面前炫耀一番，那还有什么意思？

我受够了这个可恶的女人，没别人好欺负，没别人好炫耀，就知道朝我显摆。

总有一天，肯定有那么一天！

我要把她缩成蟑螂那么小，一脚踩死她，死了还要再踩，再狠狠踩，踩得屁滚尿流，脑浆迸裂，肠子拖成一个 8 字。

我恨死她了。恨起来都跟着子宫收缩不停。

▶▶▶▶ 圣诞钟声

一晃已是平安夜的傍晚，天空贴了半片朗朗缺月，沿街火树银花，这个没有信仰的城市，这一刻有了某种宗教的热闹假象，鲜艳得肆无忌惮。

我的落地窗外，雨打无芭蕉，一只白色的流浪猫刺溜溜窜过了人行道。

我摇摇手中的水杯，将两粒止痛药片冲下肚。墙上的钟敲了六下，很快，我和光头马特的圣诞大餐就要开始了。

我的目标明确，誓要偷到他的奥运会采购项目不可。似乎我就是这样，我后来从没用正当手段来成就过事情。我总是投机取巧，为达目的不择手段。

在药没溶解在我的血液里之前，我在时钟的嘀嗒声音里，挥之不去的不祥预感一波又一波地折叠成涟漪，清晰得无法忽略。我不知道我是不是要像我的苏北祖母一样，相信一些玄而又玄的信息。是不是，今晚就要发生什么。

从没读过任何相关医学知识，止痛片有什么别的作用，而我不识字的苏北祖母却离奇地深谙此道。她让我知道镇痛片是一种镇静剂。很小的时候，我的祖母就在我要学校考试前半小时吃一粒，这样我就有了不同于其他孩子的放松状态，从容冷静，精神集中，在同学们的一片不安中，我独是小神仙一个。

我的苏北祖母，从打渔船逃离江苏盐城开始，就成了一个有灵异成分的人物。

肚子痛不许我吃药，只把她双手互相搓，搓阿搓，搓得血烫血烫，快冒出火星子时往肚脐眼上啪嗒一盖，不一会儿就好了。说是寒气就被她的手给吸走了。

要我学习成绩好，刚背好书，马上要扣个帽子在头上，这样记忆才不会从头顶上蒸发掉。不允许把任何有字的东西坐在屁股底下，她相信字会被屁股熏死。

年三十家里每人要用擦屁股的糙纸把嘴巴擦得血红，这样才能在过年时说错话也不会带来大灾大难，因为她认为糙纸擦过的嘴巴就是屁眼了，屁眼说出来的话都不做数的。

要亲人朋友不分离，写汉字就不能丢笔少划，或者没写完完整一个字半途去干别的事情；腿也不能坐着的时候，往外踢。

她目不识丁，却吓死人地背得下完整的《金刚经》《涅槃经》，不是中文那么简单，是梵语。比我十年寒窗学好个 ABC 强多了。

她一直叫我小姐姐的，苏北人的叫法就是这样。她叫老公作爹爹，叫我的父亲作大爷，叫我的叔叔们依次为二爷三爷四爷。苏北邻居们颇有默契，叫我李家大小姐，叫我父亲作李大爷。

但她又是她那个时代人里，极先进且具女权意识的。

别的女人都随了夫家姓，一随一辈子，她作死作活不姓李。所以我是李家大小姐，爷爷是李爹爹，她却不是李奶奶。

她小时候摸着我的脑袋，眼睛直勾勾地看着祖宗牌位，说这李家小姐姐将来么得了哇。

我这么得了的李家大小姐今朝扶摇九万，小小年纪姹紫嫣红开遍。却不知明天一睁眼是不是就成断壁残垣了。

12 月 24 日的傍晚。

亚历桑德拖家带口去了瑞士，这是像候鸟迁徙一样雷打不动的行程。

扬·法朗索瓦一大早陪徐增敏做检查去医院到现在还没回来。

我吃了两片止痛片,站在被冷雨打成了性感丝袜一样的镂花玻璃旁,张望光头马特的车到底到了没有。

十分钟之后,马特出现在我的大堂,宝蓝唐装裹着瘦骨嶙峋的身板,大红围巾,绢丝书法大折扇,牛皮北京老头鞋,光头比电灯泡还亮。

克拉拉,你今夜看起来让人着迷。他的视线朝我的旗袍在大腿上的开衩扫了又扫,

我跨上他递来的手臂,一个风过柳梢的笑容擦过嘴角:是么? 因为今天是个特别的日子。

几乎是同时,他仰头一阵高声大笑盖过了我的声音,笑声透着志在必得的狡猾。在坐进车里的最后一刻,一股阴湿的风吹上我的脸,我禁不住哆嗦了一下。

一路沿着南京西路开着,我的止痛片渐渐发挥效力,所有的反应开始变慢。放眼望出去,一切的店铺人影全都如坐上嘉年华的旋转木马样飘来荡去。我,置身于起落不定的大海深处,一座浮城。

TOSCANA 意大利餐厅的大门上爬满了绿色的葡萄藤蔓,樱桃木的门板上缀满了门钉,灯光昏黄,流淌在荧荧发光的金色地砖上,一个意大利女人在钢琴上弹着时而变一两个音的圣诞歌。

WAITER 把我们引到葡萄藤架深处的桌子,接过我的大衣,帮我拉开了椅子,并利落地点燃了桌角上的蜡烛。

圣诞大餐的 MENU 上列着地中海香料大肚虾、圣诞三文鱼、熏肉蔬菜卷,马特关照把单子上的智利红酒换了,要餐厅老板私藏的一支上等托斯卡纳 CHIANTI 红酒。

WAITER目光匪夷所思,退下去了再回来,托盘中的酒于是有了些传奇色彩。

就着第一口下肚的齿间留香,马特拉过我的手,凑到薄而硬的两片唇边,吻了又吻。

我在自己皮肤沉默的尖叫里,咯咯咯伴笑不停。

举杯把盏，一饮而尽。再斟再酌。我后悔自己没多吃几粒止痛片当镇定剂，只能大口地用酒精来麻醉自己。我喝得又快又干脆，我把这当一种残酷的快乐。

他再接再励，开始用锯齿咬我的手指肚，沿着关节，像是屠夫在剃骨头上的肉。

不知是红酒太 STRONG ，还是止痛片点了我的穴，我的一层鸡皮疙瘩消了，渐渐瘫痪在座位上，听凭骨头一寸寸碎了烂了，唱出支离破碎的越剧。

我的视线斑驳，目光所及一片静电四起。

有谁还在听我垂死的歌谣么？

鼓掌吧。天才的敌人。

在哪里。遥远的神父。

怎么了。暧昧的助理。

平安夜的十二点钟近了，通向安亭路的街景越来越熟悉，我烂醉如泥，软软地躺在车座后方。

反光镜里的一双眼睛，马特的，露出老鼠开始夜宴前的微光。

克拉拉，今晚是难忘的，你和我的今晚会是一种难忘的。

我虚着嗓子说，停车，让我下车。

马特阴阴哂笑，继续开着车：你醉了，克拉拉，我不放心留你一个人。

我重复：我不去你那里了，今晚到此为止。一边我的手指探进内裤里去摸超薄手机。

见鬼，认识亚历桑德后，终于练就现金塞在胸罩里，手机放在紧身内裤里的习惯，手袋完全成了摆设，只用两包餐巾纸撑场面。现在，我躺着，想从内裤里掏出手机来就没那么容易了。

我软得像没有骨头的鼻涕虫似的，还掏什么掏。

是我太天真了，这根本不是我今晚力所能及的事情，我老是以为自己可以投机取巧地做到别人付出艰辛努力的事情，比如大学的毕业论文，比如线性代数和财务管理。校园里的流言从不是空穴来风，我总是用我的小机巧换取别人花千倍努力得来的东西。

可是今天，我终于要为我的投机取巧付出代价了。

他那间遍布春宫图的卧室和摆着石头枕头的床啊，我无法想象那里会发生什么。

车在他的老洋楼前稳稳停住。

马特沉默地绕到后门来，把我的手袋从我手里夺走，扔到了座位底下，得意地自顾自说，这下谁也不会打扰你了，你没有钱喊车回去，你没有手机。

然后，扛大米一样，把我粗暴地头朝下往肩膀上一举。我正想拼尽最后的力气大叫，但他的手迅速地捂上了我的嘴，我开始无力地扑腾双脚。从没有什么时候，我觉得自己如此像个女人，这么弱这么弱的女人，惊恐得连簌簌发抖的力气都没有了。

他把我往车门上一推，从口袋里拿出一把弹簧刀，拉开我胸口的一粒纽扣。

我想起来了，季援胸口的那几道刀疤。

原来他是有这种癖好的，会在占有过的女人身上划下属于他的印记。

我无助地闭上眼睛。等待刀尖降落在我胸口的那一刻。

就在这时，附近教堂的钟声响了，从衡山路的沿街酒吧里爆发出人们的欢呼，像啤酒沫子一样四出飞溅。天空绽放出零星的烟花，繁花之上，繁花叠生。

我屁股上的手机开始发出扬·法朗索瓦无比动听的声音：克拉拉。如果你是富婆，我就是单身汉。

声音越来越大，是我的法国助理死皮赖脸设置在我手机里的他的来电音频。

马特被这突如其来的男人声音吓了一跳，好久也找不出到底这声音来自什么地方。

他立马扛起我，又朝幽黑的大门迈了两大步。

克拉拉。如果你是富婆，我就是单身汉。

克拉拉。如果你是富婆，我就是单身汉。

克拉拉。如果你是富婆，我就是单身汉。

声音不依不挠地继续，且越来越响，一楼的邻居好奇地推开了窗，向外张望。随后二楼的老太太也冒出了半个脑袋。

马特在邻居的视线里撤回手，假笑着地把我放下来。

我用尽最后的余力，撩起裙子，从内裤里拔出手机，按 PLAY。

扬，我在安亭路 67 号，和 MATT·OASKER 在一起，来接我。

>>>> 隐情

黑屏。只有突兀的电话铃声，一遍遍地响起。

慢慢地调亮灯光，看清楚是克拉拉新华路上的别墅里，另一天的暮色四合。

空气微微偏黄，明媚冒香的黄色。

我的身边萦绕着熟悉的 VERA WANG 特调男香，法国男人长着一层金色汗毛的胳膊从后面搂着我。我想要一个近景，一个局部特写，关于我们很好看的这个画面。

回忆是黑白的，现实是有色的，穿插在一起，成了一场天翻地覆的。

我只记得，他昨夜在我身体里燃放的烟花，一层未尽，一层又来。

我的中国髻轰然披散，谁的唇在勾勒我身体的曲线，我像一个幽灵附着于他的身体。闪电，聚合，异变。稍一回放，依然能引起我的痉挛收缩。

那一瞬间，似是身在小天堂。

这不是没有幻想过的情况。和这个如花似玉的 DANDY 男。

他知道我所有的寂寞与不甘，一路走来，相依相伴。

我试着唤他的名字，可是，喉咙里一阵呜咽作怪，我什么也说不出来。

电话铃停了又响了。

我犹豫着。会不会是亚历桑德。

我和你相遇在越南海防。那里海水腥黄，赌场里流出来的声音，有人尖叫，有人鼓掌。你捂上我的眼睛。跟我来。你说。

紫灰色的海岸线不断拉远，赤道以北 21 度的记忆渐渐隐去。那是一场应该航拍的戏。

没有任何背景音乐，静的发指里，让所有人记得我们的对白。

你是我的神父。

我拎起听筒，正惊慌间，电话里一个宁波老妈子惊恐失措，给了我一个地址，要我快去，说季小姐紧急求见。

她不是在意大利做她的女主人么？ 怎么可能还在上海？

季媛？

▶▶▶▶ 大出血

硕大的房子里只开了一盏小灯。姆妈带我上楼。

推开卧室的门，窗帘紧闭，一股血腥气弥漫在空气里。黑暗中，季媛一动不动地半躺在豪华 KING 码大床上。

姆妈要开灯。

床上的人神经质地缩了缩身子。

我伸手拦下，让姆妈先出去。

我总觉得在这一刻，季媛是怕光的。

我走过去，她的头深深埋进自己的手心里。

我一伸手，摸到濡湿的床单，手指一凉，心里跟着一阵狂跳。

几乎是在不自觉地恐惧里，我颤抖地掀开季媛的被子，殷殷血迹正从她的下身汩汩流出，我被前所未有的景象吓住，禁不住尖声惊叫。

天！

一阵昏眩中，我精疲力竭地跌坐在一边的沙发上。

季媛的哭声从她的指缝后面流出来，一尊青春和狂妄的偶像缓缓崩溃。

在她的胸口，已经有了五道刀片划出由旧到新的血印子。上次她的裘皮领子滑落时的那一道，已经黯淡成褐色的一条。

谁在我的脑袋里放了一枚重磅炸弹，嘣的一声，我的头嗡嗡作响。

这一切到底是怎么了？

我把她搂进怀里。她在单薄的衣服下不住地发抖。

告诉我，到底这是怎么了？

她用下巴往门边桌子上的一叠文件指了指，一阵突然的情绪使她周身发抖，更加紧紧地回抱住我。

太可怕了。那条粗绳子……他折磨我，他变态。她在我的胸间喃喃自语。

她抬起脸来静望了我一眼，又迅速埋下了头。

是谁把我变成这个样子的？克拉拉。

我不要了，我什么都不要了，这一切。

呜——

谁？谁折磨你？

我似有所悟。

贝尔贡在哪里？你不是该和他在一起的吗？

她深深叹了口气。

我回过神来，想起来她还在出血，必须马上去医院。于是迅速冲到门边去叫姆妈，而就那么一回眼，扫到那沓季媛刚才用下巴指了指的文件。

拿起来扫一眼。

哦！天！

那，竟是奥运会的采购项目清单。

TANK，TANK。

在毕业典礼的早上，我在手机里，听到她身边的男人叫她 TANK。

我想起马特接过一个来自 TANK 的电话，我想起马特贴满春宫图的卧室，和平安夜晚上马特的表现。

扬在罗耀·唐·莱昂的私人沙龙里讲起过，贝尔贡用手中这些美貌女子获取商业机密的手段。

这一切现在想来，如此顺理成章。

我试着唤了声：TANK？

果然，季媛应着我的声音抬起了头。

>>>> 消失

等我带着季媛桌子上的那叠文件回到新华路上的老别墅，扬已经不在了。

我拿起桌子上他昨夜抽了一半的烟，夹在指间，点上火。

一口烟吐出来，我愣愣地翻查着手机。

碰巧按键时接起了徐增敏打进的电话，电话的两端都沉寂了一下，随后她心虚地问我：

你知道扬在哪里吗？我今天肚子里感觉很不舒服。

扬在哪里？我正好要上楼去看看。

毕竟我的手上，现在拿着整个奥运会的采购详单，需要马上行动。

我到他的房间里随手翻翻东西，一下子不敢相信自己的眼睛。

他已经走了。只字片言都没留下。

放证件的抽屉里，护照没有了。平时放着各种主要货币现钞的抽屉，钱少了一大半。

塔克西斯侯爵依然消失在瑞士的圣诞假日里，一直没有音讯。

我忍不住，开始拨打他的手机号码，尽管，我也知道，这是很危险的事。说不定，他的妻子就在身边。

无法接通。

依然无法接通。

男人们失踪了

我的生活，忽然成了海啸过后的苏门答腊。

▶▶▶▶ 半吊着

在我的男人们杳无音讯的几天里，我只能自娱自乐。

我一直绝好的第六感开始失效。不知道究竟在地球的那一边发生了什么事。也不再探知到酒吧和马路上对我倾慕的鬼佬的目光。

我无法找到曾经和我息息相关的两个男人。

打亚历桑德办公室的电话,永远是秘书接起来,并永远说侯爵在开会,需要留言吗?打电话到塔克西斯庄园,永远是管家接电话,且永远是侯爵不在家。普通人喜欢手握手机,天下大事都要自己发话的架势,塔克西斯家族的人却非常厌恶。

我开始喜欢和GAY们泡在一起,喜欢拥抱他们没有欲望的男性身体,在HOME酒吧粉红色的灯光里,摇摆我剪短的头发。被很多唇红齿白的小男人们拥簇着,在凌晨的香吧岛吃小龙虾,穿简单的麻质衣服,搭袢布鞋,和他们说,我还在念书。

渐渐对狐香洋人们没了瘾,不再留直而长的黑发去满足鬼佬们的中国情结。也许是因为我有了钱有了势,他们的派对他们的衣食住行对我不再遥不可及,甚至我已自恃比大多数洋人们高出一等。

于是明白,对他们的迷恋,也只不过是对一种物质生活的寄托,一度,洋人们抽象成一种物质符号,仿佛游艇派对美酒雪茄华服都是金发碧眼的专利,其实,他们不一定有,而我现在全有了。

在上海的老外们开始抱怨宝莱纳的啤酒太贵,住不起西区的涉外公寓,需要坐地铁来省交通费。

我发现自己飞速地成长与穿越,在黑暗中与魔鬼为伍,某一刻,终于站在阳光之下,发现自己的影子不知不觉遗忘在泥沼里。

拿着季媛那儿的文件去跑厂子,因为政府对内陆地区经济的政策鼓励,很多参与奥运会采购项目的工厂都在北方。

北方。北方。粉条炖鸡,九转大肠,干贝绣球,糖醋鲤鱼,一品豆腐。

在济南呆着,等着工厂验货,采购订单下来的话,我肯定直接打电话到塔克西斯工厂去。有订单要确认,打电话是顺理成章。

所以,我耐心等待,积极应酬那些为奥运会供货的厂商,麻将桌上狠狠地输钱,与北方的大老爷们喝酒周旋都极用心,只等合同签下来的那一天。

没事的时候随处乱逛。沿街有很多很多的简易 KTV，一台电视，一个影碟机，插上话筒。露天地里，到处是一圈一圈的人，站在小板凳上，对着小电视的屏幕大唱特唱，一圈与另一圈之间互相起哄 K 歌，非常热闹。

小贩们端着烤鱿鱼和大瓶装的青岛啤酒在一旁守候，喝醉的男人们更加有恃无恐地嚎叫。

济南的路边 KTV，非常的超现实主义。

就像莫名其妙没了音讯的亚历桑德和扬。

终于拿到了签好的合同，我打电话去塔克西斯工厂，我对接线员说，请帮我转塔克西斯侯爵。

请问哪个塔克西斯侯爵？

亚历桑德·冯·土恩温特塔克西斯侯爵。

那边骤然沉默。

▶▶▶ 流年

你。

三个月大。粉嘟嘟的男婴在圣彼得教堂接受洗礼。大主教旁站着冯·土恩温特塔克西斯侯爵世家。当初被西西公主抢了费迪南王子的海伦娜，最后嫁入他的家族。老城里的人们都传说海伦娜的下巴上有块隐隐的蛋形小坑，于是你看哪，血脉相承，塔克西斯家的男婴的下巴上也有着家族不变的徽标。

5 岁。长成茁壮顽皮的胖小子，和法国大管家雷诺·法朗索瓦站在直径有 50 公分的榉木原木上。胖小子叉着腰，淡淡咖啡色的头发在阳光下有种锡箔纸的光泽,俨然已是神气的小人物。

16 岁。在法兰克福圣乔治学院上学。手中拿着拉丁文的圣经,眉头紧锁;青春期的苍白少年,头发留得过了耳垂,嘴角执拗一撇,不大情愿地看着镜头,他的梦想不是继承家族的生意,却是成为一名用拉丁文念圣经的神父。

25 岁。迫于压力与银行家之女苏珊娜结婚。婚礼隆重繁华,骑兵护卫着华丽马车,嘚儿嘚儿地碾过多瑙河上有 800 多年历史的大石桥,车后面按着当地习俗托着长长的叮咚作响的瓶子罐子小盆小碗,人们在罗马式大城门前翘首注目,世族的乐队正把壮观的婚礼队伍往旧市政厅引,巴伐利亚乐手们身材结实如啤酒瓶,统统穿着背带短皮裤和深绿茄紫相间的长袜,头上盖一顶插着羽毛的罗登呢帽。他的脸在马车的小窗里只露了一个侧面。镜头虚了,他是欢喜是落寞全都成了拉长的光影。

35 岁。11 月的中东北非经济会议。漆着金边榉木 LOGO 的私家飞机降落在卡塔尔首都多哈机场,他走出机舱,沉稳锋芒,夫人苏珊娜走在一旁,雍容端庄,双双在风中朝众人挥手致意。

44 岁。在越南海防的赌场遇见 22 岁的年轻中国女孩克拉拉。在老皇宫的露台上,她缠着他留影,用牙尖叼着他的耳垂不肯放。他在笑的时候,眼角皱成猫胡子一样的几根细线。

45 岁,去世。死于瑞士铁力士雪山一场滑雪事故。

都是或早或晚的事。

我陆陆续续跟你要来的照片,如今正好串起你荣耀短暂的一生。

你结婚,你做父亲,你去世,你所有的大纪年都是我无法见证的,只有一张张供我想象的旧照片。情人就是一种总是缺席重大时刻的身份。我们有的只是成为往事的那些时刻,在极度贫穷与极度优越之间互相摸索与倾诉,无心地清点着自己的来路。

雨小了一点,墓碑上的裸身耶稣被冲刷得铮亮剔透,棺材四角上青铜的狮头扶手成了男人刮过下巴的那种雪青色。瓦哈拉古堡的断壁残垣对着多瑙河的方向裂开了一个大口子，奇异的鸢尾盛开在墓地中央的一片小水塘里，蚂蚁们排着队爬上石碑前的花束，鸟雀欢叫，分不出来自灌木丛的哪个方向。

ALEXANDER VON THURN UND TAXIS。

亚历桑德·冯·土恩温特塔克西斯。

嘘！侯爵就在这里。

我站在墓前，轻轻闭上眼睛，听见风从多瑙河的方向不停地扇过，发出流年呼啸而过的声响。一阵儿麻辣的酸痛在我的身体里乱窜，再面对那块墓碑的一瞬，我的整个血管里充满了奇怪的张力。

五脏六肺在汹涌地煽动着的，血液冷一阵沸腾一阵，我的生理在你的墓前，全盘瘫痪。

亚历桑德·冯·土恩温特塔克西斯。

我的神父。

不知过了多久。

风里混进一股熟悉的脂粉香，从古堡石墙裂开的一段里，一个熟悉的影子蓦然出现，正斜靠在逆光里，举手加额，有过看不清的一个笑容闪过。

他不走近。正在迷恋黄昏的一个令人猜测的剪影。

他是扬·法朗索瓦。

我从塔克西斯侯爵的墓前缓缓转过身。看见那个剪影，用手去搓眼角干燥的泪迹。

我听见真假难辨的声音响起：

如果你是富婆，我就是单身汉。

那些。

那些也不过是十个月里的事。

我早该知道这一切太隆重了，如果没有死亡，没有暴虐，没有婴儿新生与不可幸免的宿命玩笑，根本落幕不了。

一切到了后来都有了交待。

波诡云谲的那些时日到了这一刻忽然显得可笑起来。我们这些人挣扎，周旋，尔虞我诈，死乞白赖，到头来该来得自己生了脚来了，不来的，机关算尽也算不到。

央行最终宣布人民币升值，但2%的参数和西方商人的期望落差太大。

美国总统大选落了幕。克里没赢，小布什没输，美金汇率还是好转了。是谁放的风声，说小布什会和他父亲一样赢了战争，输了竞选。

有了季媛那儿的文件，奥运会特许经营企业和后来的供应商的采购订单已经纷纷签下，塔克西斯家族的工厂事实上已经是中国榉木市场上的最大供应商之一。而亚历桑德却看不到布莱梅港口驶向中国的巨轮了。

地铁向北延伸了，穿过我当年发了疯着了魔般要跳出来的苏北弄堂。弄堂拆迁了，消失了，苏北邻居散了伙，像搅碎了的鸡蛋黄一样冲在城市的一盆蛋花汤里。上海的可耻记忆和最荣耀的地方被一号线的铁轨连接起来，慢慢地开始界限模糊。共富新村、上海火车站、人民广场、陕西南路、衡山路、徐家汇、莘庄。

不是每个人都在意这些站名背后的人文解释,除非,你有过像我一样一段 MTV 般跳跃变换的生活。

为争取到 2008 北京奥运会采购项目而注入我名下的二千万元注册资金。几处为投机人民币升值而用我名字买下的房产。

亚历桑德一死,扬·法朗索瓦一失踪,现在都成为我财产的组成部分。

当然,一起成为我的一部分的,可能还有徐增敏和扬的女儿,徐已把抚养问题提到桌面上,竟然有着这样的母亲,女儿还没出世,已经在想怎样脱手了。

我就此成了有一个女儿和一大笔来历诡异财产的女子。

我快 23 岁了。别的 23 岁的女孩子在干什么?

▶▶▶▶ 惊局

时隔多年,克拉拉与扬·法朗索瓦的婚后生活异常平静。

真正的生命在曾经的十个月里全然耗尽,漫漫余生只剩稀薄清淡。

他们只是需要安然无恙地过下去,努力迎合一种大多数人的标准,以婚姻的姿态。

克拉拉在亚历桑德死后信了天主教,周末雷打不动地带着杨桃去礼拜。她时有忏悔之心,在凝视神像的时候,无法忘怀的日尔曼情人,以及他给她带来的生活,这生活延续到现在,她已无法舍弃。

一段似乎可以原谅的原罪。

小桃很皮,小小年纪已经懂得利用一个微笑指使幼儿园里的小男孩帮自己做事情。跌一个跟头,爬起来第一件事是照镜子,看自己有没破相,生怕少了美少女资本。

她才不愁自己的身世,现在的孩子一个比一个冷血,觉得身世复杂是很酷的事,这样的混血孩子脸蛋漂亮自不必说,往往有宽裕的零用钱,自由无度,有华丽的卧室,床头坐满芭比娃娃和HELLO KITTY,经常可以去世界各地度假。

杨桃是徐增敏和扬的孩子,徐无意抚养,过继给克拉拉,拿走一笔大数目了事,很少来探望。现在她主持着一档纪实谈话类节目,收视平平,年纪大了,渐渐让出了电视台一姐的位子,收视好的节目再也轮不到她头上。

克拉拉发泄似地娇惯小桃,她在贫瘠苏北弄堂里的童年阴影从未消失,她要给这个孩子她自己错过的那些东西。

要经常地抱她,亲吻她,和她一起玩。

要给她买最漂亮的公主裙,让保姆给她每天梳不一样的发式,去看她在幼儿园里的所有表演。

她要养狗狗,就买狗狗,她要养鱼,就买鱼。

经常对她说,小桃,你永远是VIB。VERY IMPORTANT BABIE。

小孩子是不可以经历贫穷的,她清楚知道贫穷与缺乏爱所带来的后果。

这天午后,她闲极无聊去翻扬的文档,随手翻着,翻到很早的一个文件夹,看到一个主题是自己的名字,顺手点开来。

是一份关于她的履历报告,列着所有她的背景资料。

开头的黑色字是在越南海防,扬一口气背给她听过的那些资料。下巴上的整容手术。W大学国际金融专业。德语英语马来语。圣若兰女校。她想想那时的情形都忍不住想笑。随后。跟着长长的涉外导游接待计划清单。所有她接待过的人物全都列得清清楚楚。EBAY总裁,西门子高层,网球巨星费雷罗,美国财富论坛观察员统统列着。

克拉拉觉得不可思议,回想当年,扬似乎并没有提及她的这段经历。

　　而在第二页，南非白人马特的名字与背景赫然出现。

　　上面关于奥运会的采购项目被设置成了粗体红字。

　　她看着这一页，刺白得屏幕墙光照亮了她的脸，在措手不及的惊怵里，她的眼前一片沙暴袭过。

　　身子受惊而坠落，在沙发里回想与亚历桑德在一起的日子，像夜里大片大片的梨花掉落。

　　她不敢相信他对她是有谋略，有企图的。从最初的最初。

　　原来，他们看重她，是冲着粗体红字标出的她和马特的关系。

　　她的无上荣耀的亚历桑德·冯·土恩温特塔克西斯侯爵。她长着琥珀色眼睛的日耳曼神父。

　　她想抽一根烟，又放弃了一根烟。

　　最终，她捧出了全套的 AYNSLEY 骨瓷茶具，英国皇室御用的牌子，都是用侯爵的钱买的，从大不列颠带回来的奢侈品，奶盅瓶、茶刀、三层点心盘到放茶渣的小碗无一缺漏。牛骨粉与粘土烧出剔透玲珑的瓷体，没有任何瑕疵。

　　直到这一刻，她真正豁然开朗地开始享用这一切，一切都扯平了。

　　下午四点，正统的 LOW TEA 时间。

　　她想了想，有几日没和季媛玩笑了，拨个电话叫她过来。一来，打打岔，这悲情的一天就过去了，二来可以秀秀新作的沙宣头。

　　等这小冤家喝到高兴处，定要指点她一下。

　　嗳！茶匙正确的摆法是和杯子成 45 度角的喏。

　　她肯定还不知道这一条。太好啦，今天就此赢她一小局。

　　怨什么怨，恨什么恨，不如再来一口鲑鱼千层派。口口留香，层层酥软，就算天正好这时塌下来砸死，到底吃遍用遍玩遍，开开心心去作乐死鬼一名。

　　呀哈。呀哈哈。

►►►► 后记

这本书最后定稿的时间是 2007 年 7 月 13 日晚。碰巧是我 25 岁的最后几个小时。

我是一个非常注重形式感的人，有了形式，才有意义上的区分，我以为。

所以在 26 岁到来之前，应该回望与自省的这一刻，我对这个故事做如下阐述：

1.故事

写故事，在从前出版的书中，我是倾向于倾诉与记录的，但在这本书里，我希望做到的只有一点——好玩。

为了使这个故事好玩，我把真实的时间、地点和大事件做了排列组合。

你会看到在 2003 年 5 月到 2004 年 3 月之间，在地点越南—阿姆斯特丹—上海—马来西亚—香港—澳门—德国—奥地利之间，全世界真实发生过的大事件。在真实的这时间、地点与大事件排列组合出来的三维空间里，我的游戏就是不断虚拟克拉拉小姐的点滴生活，用来把一切粘合，不露缝隙，最后选用一种她应该具有的情绪来粉刷，这个故事就顺滑好看了。

2.有关章子怡

我知道很多人不喜欢她。

但我爱她的野心与勇睿。第一次去奥斯卡典礼，不管张导如何嘱咐她别跟着上台领奖，她还是在全世界的注目下毅然走上了领奖台，穿着中国肚兜，笑容无暇。那时，媒体叫她章小妹。

很多年过去了，现在她不会再穿肚兜出席典礼，也不需要再跟在谁的后面，她成了风口浪尖的她自己。

有野心有谋略，又有运气相伴，这就是我所推崇的人生。

这个故事，是章子怡们的乐园。

3.结构

这个故事的结构，我称之为拼图结构。我希望有一天这种结构会被广泛采用，因为这让读者需要集中精力，并狠狠动脑筋。

我把一切打乱，把线索隐藏在对话与情节之间，需要耐心地等待，并思索人物之间的关系，才能慢慢拼出这个故事最完整的版本。

而且不到最后，都不是结局。

4.感谢

首先想感谢一个人，西门柳上。

这本书出版的过程曲折幽微，由于我对文本的完整有绝对的固执与坚持，所以与一些出版社相持不下。连我自己已几近放弃的时候，西门还在为我四处奔波。

终于七月初从埃及回上海后休整完毕，登陆 MSN，第一时间就看到他的出版确认。

他给我的惊喜，让我一夜未眠。

钟钟老师的引荐与葛红兵老师为我作序，是又一次无比荣幸的惊喜。两个月前钟老师来采访我，在 SOFA CAFE 里一聊就是一下午，非常投缘。而没想到那时她已连我放在网上的《狐香》的样章都仔细看过了，觉得这个故事很有意思，并十分关心我的出版事宜。所以当我签好出版合同之后，第一时间就打电话告诉她，而她更把我的小说引荐给我久仰的葛老师。

葛老师在百忙中读完这个故事并悉心作序，令我从不同的角度审视这个作品，收益非浅。

再次感谢所有爱我的人们。

5.梦想

有一段时间，具体说是在高中女校里的午夜时段，在 8 人寝室的上铺，我是听着陆跃农的声音入眠的。

那时有过这样的梦想，希望有一天，自己写的故事，可以让他在午夜读出细节，如同那年的《告别薇安》。

后来。

后来的很长时间，我不再写故事。

后来的很长时间，他从电波中消失，成了那个 BLOG 里痞气嘻哈的地主。我把他加在我的 MSN 里，有时看着他的名字，陌生与熟悉之间突兀转换。

这本书的整个筹备过程中，其实一直回想起少年时的梦想，最后一刻才鼓起勇气把小说发给他。

这书，有他的一段审视与观望，我觉得一切完满。

中国桃

2007 年 7 月 13 日·上海